¡Me lleva el TLC!

EL FISGÓN

¡Me lleva el TLC!

El Tratado retratado

Prólogo de Rius
Incluye textos de
José Angel Conchello, Cuauhtémoc Cárdenas
y la Red Mexicana de Acción
frente al Libre Comercio

grijalbo

¡ME LLEVA EL TLC!

© 1993, Rafael Barajas

D.R. © 1993 por EDITORIAL GRIJALBO, S.A. de C.V.
    Calz. San Bartolo Naucalpan núm. 282
    Argentina Poniente 11230
    Miguel Hidalgo, México, D.F.

SEGUNDA EDICIÓN

ISBN 970-05-0443-3

IMPRESO EN MÉXICO

A Carmen Lira
A David Brooks
A Lourdes Galaz

Índice

Agradecimientos

A un tal Rius, por su ejemplo, apoyo e impulso. Le debo más que al FMI. Como no le puedo pagar, aprovecho este conducto para hacerle patente mi agradecimiento.

A David Brooks, Bertha Luján y Manuel García, quienes me proporcionaron generosamente su tiempo, documentos, experiencia y críticas.

A Lourdes Galaz, Daniel Molina y familia Arroyo por su apoyo y asistencia, y por algunos documentos que me facilitaron.

A *La Jornada* —en especial a Carlos Payán— por haberme permitido republicar en este libro los monos que aparecieron originalmente en las páginas de ese diario.

Al maestro Antonio Helguera por haberme permitido generosamente reproducir algunas de sus caricaturas sobre el TLC, sin las cuales este libro quedaría incompleto.

Por último, a la Guille, por su paciencia.

El Fisgón

Prólogo
de
recomendación

Hasta ahora, noviembre del 92, había hecho prólogos sólo a mis libros: primero realizaba el libro y luego escribía el prólogo. Ésta es la primera ocasión que tengo que redactar un prólogo sin tener que hacer el libro. Y me parece sensacional (el hecho y el libro, no el prólogo) y digno de ser prologado por alguien más ducho en la materia que yo. También me parece sensacional no haber tenido yo que hacer el libro que, me consta, le costó a El Fisgón varios meses de quebraderos de cabeza en pos de tratar de entender los dificilísimos e intrincados prolegómenos de la economía.

Quizá no se diga "prolegómenos", pero eso no le quita lo difícil e intrincado a la economía y su lenguaje, especialmente cuando es el Gobierno Priísta quien lo utiliza. Porque entender primero, traducir después y explicar más tarde lo que es el TLC, requiere algo más que un doctorado en Harvard o Cambridge. Y como podrán ver ustedes aquí mismo en breves minutos, El Fisgón ha logrado explicar a la perfección —y con humor, que es peor de difícil— cómo es que nuestro gobierno ha tomado la decisión (sin consultarnos, ni pedirnos permiso), de entrarle al Tratado de Libre Comercio, seguramente que en bien de todos los mexicanos...(?)

La interrogación (?) que aparece será debidamente contestada en las páginas de este libro, junto con todas las otras interrogaciones dubitativas que en los últimos meses han asaltado a millones de mexicanos sobre el famoso y mentado (en todos sentidos) TLC. Ésa es la función primordial (sin alusiones partidistas) del libro: explicarnos en la forma contraria a la que lo ha hecho el gobierno, en qué diablos consiste el TLC y qué podemos esperar de ese nuevo Tratado firmado con el vecino del Norte (y el otro de más al Norte).

Porque confieso, y creo que al igual que la mayoría de los lectores, que NUNCA logré entender, de las explicaciones oficiales sobre el TLC, ni un diez por ciento por lo alto, de qué estaban hablando. Siempre me quedé en blanco y apenado por no saber responder a quienes me preguntaban mi opinión sobre el Tratado y sus consecuencias. La pena se me quitaba cuando caí en la cuenta de que mis preguntones estaban igual que yo en ignorancia del TLC. Lo que me parece gravísimo: estamos a punto de ingresar al Tratado ese y no sabemos ni qué es ni con qué se come.

Por todo lo anteriormente descrito, y a petición del interesado (El Fisgón, alias Rafael Barajas), no dudo en extender el presente PRÓLOGO DE RECOMENDACIÓN para este libro. Lo he leído y puedo asegurar que es un libro de fácil y amena lectura, que es sumamente didáctico y esclarecedor, que dice sus buenas verdades (de las que duelen y sacan chipote) y que, espero y deseo desde el fondo de mis humildes vísceras, sea leído y comentado por masas y masas de lectores.

Sinceramente

Rius

Cuernavaca, noviembre de 1992.

En Algún Lugar de la Mancha Urbana, de cuyo nombre No Quiero Acordarme, Pero Que es la Colonia Microchips (Antes, Niños Héroes), Cerca del Eje Léjele, Estaba La Miscelánea de Don Modesto...

¡Don Modesto!
¡Don Modesto!

Ese Mi Ángel Prieto... ¿Qué Le Pasa? Si Viene Verde del Susto. Hasta Parece Que vio a un Judicial...

¿Pos Qué Le Pasó?

Peor Que eso, Don Modesto. Haga de Cuenta Que Se me Aparecieron los 4 Jinetes del ApocalipsTick con Todo e inspectores de Hacienda y Paco Stanley.

Pues Fíjese Que Vi unos comerciales en la Tele Que decían Que con el Tratado de Libre Comercio íbamos a Llegar al primer mundo, y Que íbamos a Salir de Pobres... y me Emocioné... y Quise Ver Qué Mánsiones y Riquezas me de paraba el destino... y Fui a ver a una Bruja Re-Buena Que me Recomendaron... y ella me reveló mi futuro... y... y... y...

¿Bueno... ¿Y Qué?

16

Si le digo Que es seria... Pero serio-serio, lo Que se dice serio es lo Que nos puede pasar con el Tratado de Libre Comercio, o TLC, y no Sabemos Nada... o dígame...¿Qué sabe Ud. del famoso TLC?

No... Pos Yo sólo sé lo Que dice la propaganda de la Tele.

Pero si la propaganda de la Tele dice Que hasta los Churrismiaos son buenos... ¿Cómo le va Ud. a creer?

Pos según la Tele, el TLC es el proyecto económico más ambicioso de toda la historia de México.

¿Qué??¿Y a poco eso quiere decir Que es bueno? Lo Que hay Que saber es cómo nos va a ir a nosotros con el TLC.

Bueno... Pero dicen Que vamos a entrar al Mercado más grande del Mundo...

¿Y a Qué vamos a entrar a ese Super-Mercado? ¿A cargarle los paquetes a las señoras? ¿O a poco tenemos con Qué competir?

MISCELÁNEA "LA FISCAL"

Pero Si Se Supone Que el TLC es nuestro Pasaporte al 1er Mundo...

Oiga...¿Y Ya Ha ido con su pasaporte a Sacar una Visa a la Embajada de EU? Yo lo Traté de Hacer... Para Irme de Bracero... Y Tuve Que pasar la Frontera de mojado.

Bueno. Bueno. Ya... Pero es el Único Proyecto Viable para México. No hay otro.

Una Cosa es Que éste sea el único Que Salga en la Tele y los Diarios, y Otra muy distinta es que sea el único.

Hay Muchas cosas Que No le dicen A uno.

Por Ejemplo. No Nos dicen Claramente:
- Qué es un Tratado de Libre Comercio
- Qué Tratado se Negoció
- Cómo se Negoció
- A Quiénes Beneficia
- A Quiénes Puede Afectar
- Cómo los Puede Afectar
- Cómo Ha afectado ya a Industriales, obreros y Campesinos de México, Canadá y E U
- Cómo Le Fue a Canadá con el TLC Que Firmó con los Estados Unidos Hace unos años
- Etc...

Y No Nos dicen cómo Por qué los E U, de repente Quieren Ayudar a sus Vecinos.

Sí. Como Ud dijo, éste es el Proyecto Económico más Ambicioso de la Historia de México, Tendrían Que informarnos bien Qué se ha Negociado... Cómo Nos Puede Afectar...

Sí es Cierto... Hay Mucha Propaganda. Muchas declaraciones, Pero muy poca información...

Más Allá de la Propaganda Oficial, Ya hay datos Que Señalan Que Para lograr el TLC, Hay un Sector importante de la Población Que ha sido, o va a ser afectado en Sus Intereses.

Nosotros Ya Salimos de Pobres con el Libre Comercio. Nos Volvimos Miserables

El Libre Comercio Comenzó a Aplicarse en México cuando el País entró al GATT (Acuerdo General Sobre Tarifas y Comercio).

Ya se Pueden Ver sus efectos en la Industria y en el Agro... Algunos Son Desastrosos.

Pero los efectos del TLC Amenazan con ser Catastróficos.

Lo peor es Que ese Sector de la Población nunca supo Qué se Negoció, Y está esperando unos beneficios Que No Le Van a Llegar.

Vas Bien... ¡Adelante!

Antes de Apoyar o Atacar al TLC, conviene saber si el TLC nos conviene, y para eso hay que conseguir información. Toda la que podamos conseguir.

El problema es: de dónde vamos a sacar esa información... Sé que debe existir... Pero no es una información que esté a mano.

Mire, Don Modesto. Si Ud. quiere enterarse de todo esto venga conmigo a visitar a Doña Damiana Toloache. Alias la Beba-Bruja con Post-Doctorado en Filosofía... Ella lo va a sacar de dudas.

Bueno. Vamos. Pero con la condición de que no me quieran hacer una limpia. Yo sólo me baño los lunes.

Y fue así como Ángel Prieto y Don Modesto se lanzaron a un viaje largo y tenebroso, lleno de peligros, baches, microbuses y ejes viales a buscar a la Dama del Más Allá... Doña Damiana Toloache.

II. Donde se hacen bloques, se hacen bolas

En la Colonia Delfos, en las Afueras de la Ciudad, Vive la Beba Toloache... Personaje Mitológico y Telúrico. La Llegada de Modesto y Ángel Fue Anunciada con un Aullido Estremecedor...

AAAAAAAAUUUUU UUU UUUUUUUUU

Vámonos. Ya me dio Miedo

No sea Coyón. Es el Perro.

Los Goznes de la Puerta Chirriaron...

SCRIIICH

La Puerta se Abrió Lentamente Hasta Que Apareció La Única, La Espiritual y Exhaustiva...

La Beba Toloache

No, Gracias. Ya Tengo.

No, Doña Damiana. No Vendemos Aspiradoras. Le Traje a un cliente Para Que Le Explique Lo que es el TLC.

Has Hecho Bien en Acudir a Mí... Soy Maestra en Ocultismo: La Ciencia Que Trata de descifrar Los discursos Oficiales.

Te Advierto Que Lo Que Te Puedo revelar Tal Vez Sea Horrible... Pero dime... ¿Qué Quieres Saber?

21

Primera Pregunta:

¿Qué es un Tratado de Libre Comercio?

Un Tratado de Libre Comercio -o TLC- es un Acuerdo que Garantiza el Libre Intercambio entre 2 o más Países...

Segunda Pregunta:

¿Qué implica un TLC?

Un TLC Tiene implicaciones en lo Económico, en lo Político, en lo Social, en lo Cultural, etc... Para Saber Qué implicaciones Tiene un TLC, Es Necesario Saber Qué y Cómo Se está Negociando. ¿Se Negocian Salarios? ¿Productos?

Tercera Pregunta:

¿Entonces un TLC es Bueno o Malo en Sí?

En Sí un TLC No es Bueno ni Malo. Todo depende de las Condiciones en las Que se Negocia el Libre Intercambio y Cómo Se Integran sus economías.

Y Dentro de Poco, Nos Vamos a Integrar

¿Y Cómo es, a Grandes Rasgos el TLC entre Canadá, EU Y México?

La Gran Particularidad de este TLC es que Nunca Se Había Negociado un Tratado de Libre Comercio entre Socios Tan desiguales.

La Economía de EU es

25 veces más Grande Que La Mexicana. (Este es el Dato Clave de este TLC).

¿Y Cómo es Que a los E.U. Les Interesa Asociarse con una Economía 25 veces más chica que la Suya?

Durante las últimas Décadas, la Riqueza Mundial se ha Concentrado en Muy Pocos Países y, dentro de éstos, en muy pocas Manos. De este Modo, Se Han Consolidado Bloques Económicos Muy Fuertes y Dinámicos. Estos Grandes Bloques Económicos Son:

- La Comunidad Económica Europea
- La Cuenca del Pacífico

COMUNIDAD
ECONÓMICA
EUROPEA

CUENCA DEL PACÍFICO

- Y Los Estados Unidos... La Economía de las Grandes Transnacionales. El Vecino Fuerte de México. Nuestro Futuro Socio. Veamos cómo están los E.U....

III. Los Estamos Sumidos

Los EU Salieron de la 2ª Guerra Mundial Como la Gran Potencia Económica.

Los EU eran en un Solo Bloque Económico, La más Dinámica Industria y el Mayor Mercado del Mundo.

Pero últimamente, Todo el Mercomún, así como la Cuenca del Pacífico, han Crecido más Que los EU.

Para Poder Competir con el Mercomún y la Cuenca del Pacífico, EU Necesita Hacer Su Propio Bloque Económico. Sus Socios Naturales son Canadá (Con el Cual ya hizo un TLC) y América Latina. Su Socio más Viable, entre otras cosas por su cercanía, es México.

En Principio, las Economías de Canadá, los EU y México, Constituirían el Bloque Económico más Grande del Mundo. Con 356 Millones de Habitantes, y un Producto Interno Bruto de 6 Millones de Millones de Dólares. Tanto como la Cuenca del Pacífico y el Mercomún Juntos.

Un Problema crucial para este TLC es Que los 3 países Que lo Promueven, lo Hacen Para Salir de sus respectivas Crisis Económicas. Pero Esas Crisis Económicas presenTan serios problemas para un TraTado de Libre Comercio.

Veamos Primero el Caso de Estados Unidos.

Y eso No es Todo. E U ES el País más Endeudado del Mundo.

Tenemos el Mayor Déficit Fiscal...

Del Mundo.

Por Lo Tanto, Cualquier Recuperación Económica se ve Obstaculizada por el Peso de la Deuda.

Todo se Lo debo al Déficit Fiscal.

Total, Más que una Simple Recesión, EU parece vivir una Enfermedad a Largo plazo.

THE NEW WORLD ORDER

La 1ª Potencia Mundial Llegó a colocarse en Estas Condiciones en Los Años de Reagan y Bush.

Reagan Prometió Reactivar el Gran Capitalismo y Revivir el Gran Imperio Americano. Y Lo Hizo.
- EU Tuvo un Auge Económico en Los 80's
- En Los Años Reagan-Bush, cayó La URSS, (el enemigo de la Post-Guerra de EU)
- Se desmoronó el Bloque Socialista
- EU Emergió de los 80's como La Nación Hegemónica Mundial.

Bush Anunció el Nuevo Orden Mundial.

Pero Hacia Los Años 90, Los EU Quedaron en Peores Condiciones Económicas Que Cuando Entró Reagan.

Y eso por no Hablar de Los Motines de Los Ángeles...

Bush es derrotado en Las Elecciones de 1992.

Puros Triunfos. Derroté al Socialismo Real, y hasta me Derroté a mí Mismo.

Total, Que Como Socios, Los EU Son una gran Potencia, Pero en Crisis... Ávida de Mercados donde Colocar sus productos...

27

IV. Los Estamos Sumidos Mexicanos

Ahora Veamos el ESTado de La Economía Mexicana.

29

EL TLC Podrá Traer Nuevos Capitales... Pero ¿Cómo Piensan Abrir y mantener el Mercado más Grande del Mundo con estos Sueldos?

En las Condiciones Actuales... ¿Cómo le van a Hacer los millones de Pobres para Llegar al primer mundo?

O es Que el TLC No está Hecho Más Que Para esos 37 Grandes Empresarios Que Controlan el 22% del PIB* Veamos Qué dijo uno de ellos:

Juan Sánchez Navarro declaró Que "La Iniciativa Privada Será la Única Usuaria y Beneficiaria del TLC".

BRRRUUUN

FAST TRACK

Ya la I.P. es la Gran Beneficiaria del País.

Y Usuaria... Nadie lo USA Tanto como LOS 37.

Los Demás Somos y Seremos Los Perjudiciarios de Siempre.

¿A Poco eso Tiene Algo de Malo?

*EL PIB es el Producto Interno Bruto, o Sea Lo Que Produce un País. Su Riqueza.

De Hecho, en Los Últimos años la Política Económica de México Parece Haber estado dirigida a esos 37 Empresarios... Y Nada Más.

¡Caray! ¡Qué Coincidencia! Esos 37 Empresarios Hicieron Su Fortuna Justo en Los Años en Los Que Nos Quedamos en La Miseria.

La Jornada

Nada Tendría de raro Que el mayor Bloque Comercial del mundo, Se hiciera para ellos Solos.

Sin Embargo, el Mayor Bloque Comercial del Mundo Tiene un Problema Central: La Falta de Mercados donde Colocar los Productos. Lo Que Sería el Mercado Cautivo del TLC, es decir América Latina, No Tiene Capacidad de Compra, pues el Pago de la deuda externa ha desangrado a la Economía de la Región.

La Banca Internacional (Sobre Todo la de EU) ha Sacado más Oro de América Latina, a Través del Cobro de los Intereses de la Deuda, Que lo Que Sacó España de sus Colonias en 300 años de Imperio. En 1980, la Deuda Latinoamericana era de 222.5 miles de Millones de Dólares. Durante los Siguientes 10 Años, el Subcontinente Pagó 366 mil millones de Dólares de puros Intereses.

En 1990, Después de las Renegociaciones de los Intereses, América Latina debía 423 mil Millones de Dólares. Es Decir, la deuda Casi se duplicó. Es una deuda Impagable. La Banca Internacional se Benefició... Pero:

De Manera Que, Por lo Pronto América Latina-México incluido,-Tiene Muchas Necesidades, pero pocos recursos. Es decir, es un Mercado inmenso, pero Deprimido. Los EU son una Economía Enorme, pero en Crisis... México está peor... Y Canadá...

De Veras, Doña Beba. Ya Vimos Qué Pasa con la Economía de EU, con la de México, Y hasta con la de América Latina... Pero Se Le Olvidó porcompleto el otro socio de este Tratado Trilateral de Libre Comercio: Canadá.

Eso. ¿Cuál Purrún Con el Canadá?

Lo Que Pasa Con Canadá se los Voy a Platicar en un Capitulo Aparte, porque de ellos podemos Aprender Mucho los Mexicanos... ¿No Ven Que Canadá ya Tiene desde 1989 un Acuerdo de Libre Comercio? Bueno, Pues los Resultados Ya están a la Vista...

Así Que Mucho ojo ¿EEEh?

Así es Que Cobíjense Bien, pues les Voy a Contar Cómo es Que Los Canadienses Se Quedaron Fríos...

¡E AUUUUUU!

Un Viento Helado Recorrió La Casa de la Beba, Se coló por las Rendijas y se Fue a Arremolinar Alrededor de Ángel y Modesto. Ellos Sentían Que se les Helaba el cuerpo a Medida Que oían a la Beba Hablar de la Experiencia Canadiense...

V. Los canadienses se quedaron fríos

Los Canadienses Tenían Programas Nacionales para Repartir el ingreso más justamente. Tenían el Mejor Sistema de Salud y Seguridad Social de Todo el Continente, y Varias Instituciones Gubernamentales al Servicio de los Canadienses...

> No, Pos Así Ya se Aguanta el Frío.

En 1984, Brian Mulroney, respaldado por las Grandes Corporaciones Canadienses Que Tenían intereses crecientes en EU, llega a la Dirección del Gobierno. Traía un programa Novedoso.

> ¡EL Acuerdo de Libre Comercio Con los ESTADOS UNIDOS!

En 1988, Mulroney se reelige en unas elecciones donde el debate Central es el Acuerdo de Libre Comercio. La Oposición al ALC era Fuerte.
El ALC entra en Vigor en 1989.

> Los Liberales y los Nuevos Demócratas Estábamos vs. el ALC. Pero Nos peleamos más entre Nosotros Que con Mulroney...

> Si Hasta Nos Parecemos a los Partidos Mexicanos de Oposición.

Según Mulroney y los Promotores Canadienses del Acuerdo de Libre comercio con EU, el Libre Comercio entre los 2 países Les Daría a Los Canadienses Las Siguientes Ventajas:

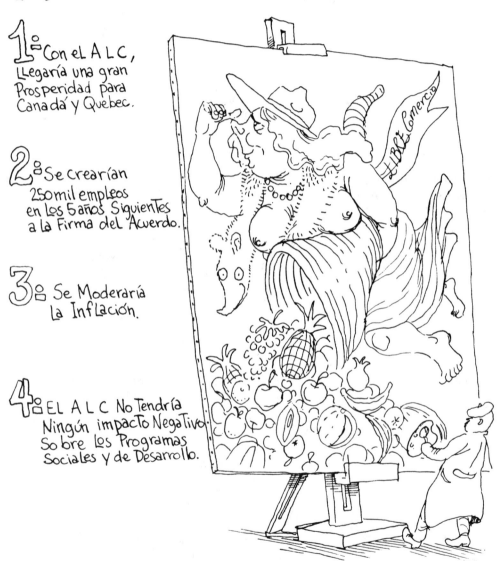

1° Con el A L C, Llegaría una gran Prosperidad para Canadá y Quebec.

2° Se crearían 250 mil empleos en Los 5 años Siguientes a la Firma del Acuerdo.

3° Se Moderaría la Inflación.

4° EL A L C No Tendría Ningún impacto Negativo Sobre Los Programas Sociales y de Desarrollo.

El Acuerdo de Libre Comercio (A L C) Pintaba Bien.

4 años después, en 1992, los Resultados del ALC en Canadá hacían ver Que la realidad que arroja ese Tratado es muy diferente a lo Que les Prometieron.

1.- Canadá Importa de EU más de lo Que le Exporta.

- Los industriales Canadienses se Fueron a EU, donde les Sale más Barato Producir

- EU Aplica Medidas Proteccionistas cada Que Se le da la Gana.

O sea Que cuál Prosperidad...

En vez del Cuerno de la Abundancia, Nos Dieron Cuernos en Abundancia.

2.- EL Desempleo Creció de una forma brutal por el ALC (También por las Políticas Neoliberales).

- Sólo en Quebec, se perdieron 73 mil empleos entre 1989 y 1991.

Y Con este Pinche Frío...

- Se desmanteló La pequeña y mediana Industria.
- En el Sector Manufacturero se Perdieron Aproximadamente 460 mil empleos.

3.- Desde Que entró en Vigor el ALC, Subieron las Tasas de inflación en Canadá. Es decir, se dispararon los Precios.

4.- Los Programas Sociales y de desarrollo se Fueron Al Demonio.

- Mulroney buscó siempre Poner los Programas Sociales de Canadá al Nivel de los de EU, Porque, Según esto, Esos programas Son un Subsidio Para los Productos Canadienses. Y eso No Vale según el ALC.

MISS ALC

En Resumidas Cuentas, A los Canadienses No les Cumplieron Lo Que Les Prometieron. Pero Lo Que Perdieron en ilusiones, Lo Ganaron en Experiencia:

> PERMÍTANME HABLARLES DE NUESTRA EXPERIENCIA EN LIBRE COMERCIO CON E.U.

(Cartón de Helguera).

Además de Todas estas Promesas incumplidas, Canadá Enfrenta otro problema derivado del Libre Comercio con E.U.

EL 1er Ministro de Canadá dijo Que Negociar Significa Ceder una Parte de la Soberanía.

> ¿Y Tú Qué Parte de Tu Soberanía Piensas ceder?

Y en efecto, Con el TLC, Canadá Ha Perdido Soberanía Sobre Muchos de sus Recursos Naturales (el Petróleo, por ejemplo).

> Pero Para Compensar, Nosotros Hemos Ganado Soberanía Sobre esos Recursos.

Un país Que Pierde Soberanía Tiene Problemas Para decidir sobre su destino, y esto le pasa Ya a Canadá.

En 1992, Según encuestas, el 70% de los Canadienses estaba en Contra de la Firma del TLC con EU y México.

Y no es de extrañarse, después de Que
- No les Cumplieron
- Bajó Su Nivel de Vida
- Perdieron Soberanía.

Sí. ¿Pero A Poco los EU Van a dejar que se echen Para Atrás? ¿A Poco EU Va a dejar que le quiten lo Que Ya Ganaron?

Ahí Está el Detalle. No se pierde Soberanía Sólo por un Rato... Luego Recuperarla, No es Fácil...

Bueno... ¿Pero A Quién se le Ocurre Negociar Tratados con los Gringos...? ¿Cómo no se les Ocurrió preguntarnos a los Mexicanos Cómo nos ha ido cada Que Firmamos un Tratado con los Estados Unidos?

Lo Que No Me Explico es cómo a Los Mexicanos No se Les Ocurrió Preguntarle a Los Mexicanos Acerca de Su experiencia en Las Negociaciones con Estados Unidos. Después del Tratado de Bucareli, el TLC...

Históricamente, a México Le Ha Costado un Trabajo enorme mantener Su Soberanía, Sobre Todo en Las Relaciones con E.U.

México: Tan Lejos de Dios y Tan cerca del TLC.

El Gobierno Mexicano Asegura Que Nuestra Soberanía no está a discusión. Lo Que está a Discusión Es el Concepto de Soberanía...

Ya Lo Que se discute es si somos Libres y Soberanos, o si Somos Unos Soberanos...

Si Se discute el Concepto de Soberanía, Se discute la Soberanía.

TRATADO DE LIBRE COMERCIO MEXICO-E.U.

Sí, mira... El Águila Se Conservaría Allá en el Escudo del Matasellos Aprobando el Tratado.

Pero una yotra vez los Negociadores Mexicanos Han Insistido en que el TLC Lo Ha Negociado México como Nación Soberana.

¡Y Sepan Que Vamos A Negociar el TLC Como Nación Soberana, Aunque Sea la Última Vez Que Lo Hagamos!

Los Razonamientos de los Negociadores del TLC Para Apoyar la Necesidad del Tratado, Son Los Siguientes:

1º EL Desarrollo Viene del Norte.	2º Es la Oportunidad Para Integrarse a la Economía del 1er Mundo.	3º Es la Relación Económica más importante de México, y hasta Ahora se ha Llevado por la Libre. Con el TLC, se Van a establecer unas reglas Mínimas de Intercambio.

Según este Razonamiento, Los Esquimales deben ser el origen del desarrollo industrial en el Mundo.

Integrados Ya Estamos, pero Como exportadores de Materias Primas y Maquiladores...

Esto Suena muy Razonable, pero implica una Revisión Global de lo Que ha estado Bien y de lo Que ha estado mal en esa Relación. Con este Argumento, No se Vale simplemente Oficializar lo Que ha Ocurrido por la Libre.

41

Los Negociadores Mexicanos del TLC insisten en Que México ha Discutido en Condiciones de igualdad con E.U.

Esto Suena Padrísimo... Pero ante una Contraparte 25 Veces Mayor, México Habría Tenido Que Negociar siempre desde un Trato Preferente Y Especial... No de Igual a Igual.
En Cambio, Los Negociadores de E.U, encabezados por Carla Hills, Siempre Quisieron Que prevalecieran los principios de Sinceridad...

El Gran Problema aquí es que no hay cómo negociar con EU en Condiciones de igualdad, y Salir bien Librado (200 años de Historia Mexicana Respaldan este Argumento).

Un 2º Problema Grave de las Negociaciones del TLC, fue la Falta de Transparencia. Fueron las Negociaciones Comerciales más Secretas de la Historia...
¿Qué tanto Hacían los Ministros de los 3 países a puerta Cerrada?

¿Harían Misas Narcosatánicas?

¿Contarían Puros Chistes Colorados?

Pos Ésta era la Abuelita de Pepito Que Se compró un Chivo...

¿Harían una Convención de Nudistas-Masones?

¿Se La Pasarían diciendo Leperadas?

¡No! CÁ...

¡Sí... CÁ!

Una Negociación Tan desigual Exige una Transparencia Que No Hubo.
Se negoció Sin Tomar en cuenta a los Posibles Afectados.
Sin Tomar en Cuenta A La Sociedad Civil.

Buena.. Pero de Qué Se Preocupan...¿Cuándo Hemos Hecho algo los Funcionarios Que Afectara a los Mexicanos?

43

EL 3er Problema Grave es Que los Negociadores Mexicanos Partieron de la idea que el TLC con EU era su única Opción y Oportunidad, y así lo Dijeron desde un principio.

(El Mismo Porfirio Díaz Buscó en su Tiempo Negociar y Comerciar con Europa).

EL 4º Problema es Que los Negociadores Mexicanos pusieron desde un principio Todas sus Cartas Sobre la mesa.
Al Actuar así, se acorralaron en las Discusiones... desde el Principio.

Ante Negociadores Tan Voraces como E U, No Se pueden echar Todas las cartas desde el Principio como lo Hizo Serra Puche, porque Luego ya no se Tiene Nada Que Negociar...

Esto Puso a México en Desventaja Estructural y Estratégica durante las Negociaciones.

Prueba de ello es Que para EU se Negociaba un Acuerdo...Mientras Que los Mexicanos Negociaban un Tratado. En la práctica, eso Tiene implicaciones legales... la Constitución Mexicana se Adecuó a las Necesidades del Tratado antes de Que se Firmara...Pues un Tratado es Ley Suprema, Mientras Que un Acuerdo se Supedita a la Constitución.

CONSTI UCION
PO ITICA
MEXI ANA

¿Así, Carla?

45

MienTras Que el Congreso de EU va a Revisar el Acuerdo Hasta después de la Firma, el Congreso Mexicano ya Revisó Capítulos Básicos de la ConsTiTución, DuranTe y Para las Negociaciones - ConvirTiéndose así, de Hecho, en un Congreso ConsTiTuyente que Cambió el SenTido Original de la ConsTiTución...

Mira Lo Que Hizo Tu Hijo con la ConsTiTución...

¡Qué Horror! Parece -DipuTado.

En la prácTica, Carla Hills le impuso a Jaime Serra Sus Necesidades, Tiempos y riTmos.

JAiME, ACELERA.

CarTón de Helguera

46

Tanto así, Que en Plena Campaña Presidencial de EU en 1992, los Equipos Negociadores Inicializan el Tratado-Una de las Cartas de Bush para su Campaña-, Es decir, Que Tuvieron un papel Activo en la Campaña del Candidato del Partido Republicano.

Hasta Parecía Que el Sistema Político Mexicano militaba en el Partido Republicano.

EL ParTicipar Aunque sea de manera indirecTa en una Campaña ELecToral ExTranjera, es Grave... Y más cuando Pierde el CandidaTo Apoyado.

Amigo CLiriTon

BUSH

EL Ganador Bill CliriTon dijo Que no va a Renegociar el TLC. Pero Sí Quiere Revisar las Leyes de implemenTación del Mismo (o sea Que Sí va a Renegociar)

Amigo Salinas

EL Problema con el Que se Topa el Gobierno es Que No Tiene con qué Renegociar.

NosoTros Ya Dimos.

Ya cedió Todo lo Que Había Que Ceder.

Soy Tan Pobre, Qué oTra Cosa puedo dar...

La ConsTiTución Ya se Cambio...

Y se ConTinúa con una negociación en una Posición de desvenTaja...

48

VII. Los neoliberales

50

51

53

La Triste Experiencia de México, y de Toda América Latina, es Que la Riqueza Nunca Ha Sido Contagiosa. El dinero Nunca Sobra.

Para Los NeoLiberales, Lo Que Sobra es la Gente.
Como Verán Los Neo-Liberales no Tienen nada de Nuevo, Y sólo son Liberales en Materia de Comercio.
La Riqueza de unos Cuantos se Basa en la Pobreza de Las Mayorías.

ALgunos de los EfecTos del NeoliberaLismo en México en los últimos 12 años, Son Los SiguienTes.

6 de los Hombres más Ricos del Mundo, son Mexicanos.

Billonarios en Dólares

En 1992 Más del 50% de la Fuerza de Trabajo estaba desempleada. La Mayoría Sobreviviendo en la Economía Informal.

En 1981, el Salario Promedio por horá era de $2.57 Dólares.

En 1991 Se Había Reducido a $1.36 Dólares. Casi La MiTad.

En 1991 el 40% de los Mexicanos estaba por debajo de los Mínimos Mundiales AcepTables en AlimenTación y NuTrición

La Pobreza es la Razón FundamenTal de la DesnuTrición.

Más del 20% de los Niños Nacen DesnuTridos.

45% de Menores de 18 años, Son Pobres.

México Comienza a Tener Casos de Ceguera por desnutrición. Cosa Que Nunca había pasado.

11 Millones de Niños menores de 5 años, Tienen daños irreversibles por desnutrición.

Más de Cien Mil Niños Mueren anTes del Año de Nacidos. La Mayoría, por desnuTrición.

EsTo es sólo ParTe del CosTo Social del NeoliberaLismo en México.

57

VIII. Integrados y desintegrados

...Y Finalmente, después de unas Negociaciones largas, Secretas y Misteriosas, Salió el Texto del TLC... Y hasta se lo pudo Agenciar Ángel Prieto

¡Lo Tengo! ¡Tengo el Texto del TLC!

Padrísimo, Compadre... Ahora sí Vamos A Salir de dudas. Léanos un Cachito...

Pos Aquí Dice: "Se establecerá Asimismo el Régimen Conocido como Cupos de Preferencia Arancelaria para Bienes Que No Cumplan Con las Reglas de Origen..."

Oiga, Compadre... No entiendo Nada.

¿Estará en Inglés?

No... Ya Sé. Lo Escribieron en Clave.

Yo Tengo un Tío Egiptólogo. Tal vez él Lo pueda descifrar...

Yo creo Que Vamos a Tener Que llamar a un economista.

NNommbre... ¿Y Luego quién nos descifra Lo Que dice el Economista?

No... Pos eso sí... Pos yo Creo que Vamos a Tener Que ir de Nuevo Con la Médium.

Y Fue Así como Nuestros Amigos Fueron a visitar otra Vez a la única Bruja Doctorada en Princeton y Harvard...

La Bruja Estudió largamente el Texto del TLC. Finalmente, Con su docta Voz dijo:

Ah Chingá.

Este Texto No es Claro.

Eso ya Lo Sabemos.

No. Además de que está Escrito como Por un economista, No dice La Verdad. Esconde sus intenciones

Este Texto dice Que el TLC es sólo para Reducir Los impuestos y las Barreras de Productos Mexicanos a los Estados Unidos y Canadá, y Viceversa.

¿Y eso Qué Tiene de Raro?

60

Lo Que Tiene de Raro es que las Barreras Comerciales de México y los EU Son de las más Bajas del Mundo... Y los impuestos También...

Me Temo Que lo Que Aquí se ha Negociado es, más que una Reducción de Aranceles y Barreras, ¡Un Tratado de integración Económica!

Y Les Voy a Explicar Qué Tipo de integración económica se está Negociando.
En Toda Relación Económica entre países Hay 3 cosas:

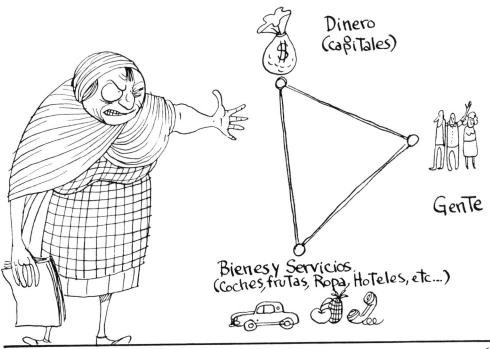

Dinero (capitales)

Gente

Bienes y Servicios.
(coches, frutas, Ropa, Hoteles, etc...)

En este TLC Sólo Se Negocian Bienes y Servicios, y Capitales.

¿Y La Gente?

La Gente es lo de Menos. Para E U, este es un Tratado Para Elevar su Competividad. Para México, es un Tratado para Conseguir Inversiones.

En este Pacto No están Contempladas las Necesidades de La Gente Común (Empleados, Campesinos, etc.)

TLC

Nos Reservamos el Derecho de Admisión

Este Pacto No incluye nada Sobre Salarios, reglamentaciones Laborales ni Ambientales, ni Toca el Problema de las migraciones.

Esas Cosas Sólo Le Interesan a unas cuantas decenas de Millones de Pobres.

Sólo Se incluyen las necesidades de los que Tienen Capitales y Bienes y Servicios que ofrecer.

Eso ya es oTra Cosa.

En el TexTo del TLC se dice Claramente Que los Empresarios pueden Viajar de un país a oTro Sin Restricciones.

Los Braceros No.

EsTá Ud. Hablando Con un Empresario del Chicle.

Chicleees.

Porque La idea que hay deTrás de Todo esTo es que sólo los Empresarios Generan Riqueza.

Y Con lo Que me pagan, Yo Sólo Genero Pobreza.

El Ex-Presidente Bush dijo:

Colón Fue el 1er Empresario que llegó a América... Los que No Creen en el Libre Comercio Aún Piensan que la Tierra es plana.

Y lo dijo en Serio.

En el TLC, Se Ha Tomado el Libre Comercio Como la única vía para el progreso y el desarrollo,... Y eso es lo único que importa.

ÉsTe es el Gran proyecto de los Que Manejan los Grandes Capitales en EU, Es decir, Las Grandes Empresas Transnacionales.

Ofrecemos Comercio. No Ayuda.

Te Vendo unos Caracolitos Que es lo Que Tengo.

"Trade - NoT Aid" - Comercio. InTercambio. No Ayuda. Ésta es la Base del TLC. Y el TLC es el 1er Eslabón de ese gran proyecto que es el Bloque Comercial ConTinenTal Americano, llamado "La iniciaTiva de Las Américas."

América para Los Americanos.

Oh Darling

Los Grandes Monopolios Necesitan "La Iniciativa de Las Américas" para Hacer Un Bloque Comercial Fuerte -que ellos controlen, of course- para Competir con los otros Bloques Económicos Fuertes. Está en Curso una Guerra Comercial.

Cabo Serra... Ponga este Anuncio. Capitán de industria Gringo, Solicita Soldados Rasos para Guerra Comercial. Ofrecemos mucho. Pagamos Salario Mínimo Mexicano.

La única manera de Competir en una Guerra Económica es Vendiendo mejores productos a menor precio.

En esta Guerra, Matamos. Pero gana el Que Remata.

¡VEA NOMAS! $——

¡QUÉ PRECIOS! $——

Y Eso Sólo Se Puede Conseguir con nuevas Tecnologías, y/o bajando el Costo de Lo Que Se Produce.

Y Actualmente, con Toda su Tecnología, EU No puede Competir con Japón y Alemania.

BANG

MADE IN JAPAN

65

Sólo hay 2 Formas de Salir Adelante en estos casos.

1ª La Vía Difícil:

- Con una inversión fuerte en Educación y Salud
- Con la inversión en nuevas Tecnologías
- Esta Vía es a Largo plazo y exige un Esfuerzo Sostenido de Todos.
- Se basa en la Necesidad de un mercado interno Sólido.

Que Trabajen Los Que lo Necesitan.

← Gastón Billetes Jr. Indignado

2ª La Vía fácil:

- Reduciendo Los Costos de Producción. Cosa que se logra:
  - Bajando el costo de las Materias primas
  - Bajando Salarios
- Esta Vía es un poco más Rápida y exige el Sacrificio de los Asalariados.

Pos Yo No Le veo Lo fácil a esta Vía.

Pues Bien: EL TLC Le Ofrece a Los Monopolios de EU un acceso rápido a Nuevos Yacimientos de Materias Primas.
Y Sobre Todo, Salarios más Bajos Que Los Que Actualmente está Pagando en Canadá y EU.

Es decir que el TLC es la Vía Fácil...

Órale, Pancracio.. Por el Fast Track.

IX. El salario del miedo

Los Salarios en México Son <u>10</u> Veces más Bajos Que los de E.U.

Todo se lo Debo A Fidel Velázquez

Por el Solo hecho de operar en México, y no en EU, una Maquiladora Se Ahorra 28 mil Dólares Anuales <u>por obrero</u>.

¡O Sea Que Por cada 100 obreros, se Ahorran $2,800,000ºº Dólares!

Según la Cámara Américana de Comercio en México, el Ahorro Es de 32 mil dólares Anuales por Obrero; ESTo, multiplicado por Los 500,000 obreros de las Maquiladoras, da un Ahorro de 16 mil millones de Dólares Anuales para las Empresas de EU.

Hoy en día Los Sindicatos Gringos Sudan La goTa Gorda, ya no para Conseguir Aumentos Salariales, Sino para que no les Bajen Los salarios.

...Y Si no Les gusta Que Les Pague menos, me Voy a México a Beneficiar Obreros con puros Salarios Mínimos.

No, Pos Qué Generoso.

EsTo es el Fin de Los Sindicatos IndusTriales Gringos.

Son Los cimienTos para La Nueva indusTria.

AFL CIO

¿Y Eso a Los Mexicanos Qué? ¿Cuándo se preocuparon Los Sindicatos de E U por el daño Que ellos Le Pudieron Causar a Los Sindicatos Mexicanos o Canadienses? ¡Nunca!

CHi CHeTo.

EL Problema Aquí es que Los Bajos Salarios en México Son el gran ATracTivo para Los CapiTales NorTeamericanos.
Por Lo TanTo, No se puede esperar que Los SaLarios en México Vayan a subir Tal y como Lo promeTen Los impulsores del TraTado.

¿A Poco creen Que Me Voy a ir HasTa México para pagar Salarios ALTos?

Yes más... Si suben Los Salarios en México, Me Voy a Donde sean más BaraTos.

MÉXICO

$

Lo Que el TLC Hace es poner a Competir a los Asalariados de los 3 Países a ver Quién Cobra Menos.

Es una Espiral hacia La Pobreza.

AAAAA

Los Salarios Bajos Mexicanos no Son un Atractivo. Son la Base del TLC.

EL TLC ofrece elevar el nivel de Vida de Los Mexicanos. Ofrece Traer Riqueza. Pero La Base de esa Riqueza son Los Bajos Salarios.

Ora Sí Que No entendí.

Según esta Lógica yo ya debería ser Riquísimo.

Tanto en México Como en E U Y Canadá, Ya Se Puede ver Cómo Funciona esta política Económica... Sobre Todo con Los Obreros...

Canadá Ha perdido miles de empleos a partir del TLC con los E U

E U Se parece cada vez más al 3er Mundo. Por 1ª vez en 50 años Hay Niños Laborando.

En México, Agapito, Líder Cetemista en el Norte, Fue encarcelado por Transa... Cuando Promovía aumentos Salariales en Las Maquiladoras

¿Un Cetemista Transa? No Lo creo.

En Resumen: EL TLC está Hecho a La medida de Las Grandes Necesidades de Las Transnacionales. No del Ciudadano Común.

EL TLC no es Bueno Ni para Los Mexicanos, Ni para Los Canadienses... ¡Ni para Los NorTeamericanos! Es bueno para Las Transnacionales.

Bueno... Esto es Fatal para los Sindicatos y los obreros, pero esta lógica debe beneficiar a Todas las Empresas, Grandes y Pequeñas. No sólo a las Transnacionales ¿No?

Eso. Lo Que es Bueno Para una Empresa Grande, debe ser Bueno para una chica.

No... Lo Que es Bueno para el pez Grande No Necesariamente es Bueno Para el Pez Chico.

El Pez Grande se Come al Chico. Recuérdenlo.

Y el TLC se presenta como un Banquete para peces gordos.

X. La pequeña y mediana industrias

EL Objetivo central del TLC es impulsar y proteger a las Empresas. Pero no Todas las Empresas pueden Competir en el Mercado Trinacional Que Abre el TLC.

Es decir Que Mi Miscelánea va a valer Queso.

Así es.

Sólo las Grandes empresas, ya sean de la Industria del Comercio o de Servicios van a Poder Competir Con las Grandes empresas Norteamericanas, Que Suelen Tener y manejar Tecnologías más avanzadas Que las Empresas Mexicanas.

¡PaLeeeeTaas!

VVRUUUUUUUMy

ICE CREAM

Y las Micro, Pequeñas y medianas Empresas No Tienen ni la menor chance de Competir con las Empresas de EU y Canadá.

¡PaLeeeeeTaaasss!

Esto Quiere decir que con el TLC, hay 1,394,882 Empresas Mexicanas Que están en Riesgo de desaparecer Con Todo y Empleos.

O sea Que Mi Miscelánea no va a Poder Competir con Los Seven iLevens.

Y no Sólo su Miscelánea.

La Mayoría de estos desempleados, provendrían de la micro, pequeña y mediana industria.

Y no es seguro que vuelvan a encontrar trabajo.

Uno de los 1os Frutos del TLC va a ser el Desempleo. De Hecho, ya Hay indicios de ello.

¡¿Ésos son los Frutos!? ¡Nos Piñaron!

Los efectos de esta Política los pagan, antes que nadie, los Empleados de estas empresas.

Aquí el joven paga.

En la micro, pequeña y mediana industria, se han recrudecido los problemas obrero-patronales... y se va a poner peor.

Hay casos como el de la industria Textil, que pertenece en su mayoría a la Pequeña y Mediana Industria, donde en 1992 se dio una prolongada huelga.

Tenían un contrato Ley. Pero Aquí ya entró en vigor la Ley de la Selva.

En este proceso se pierden viejas conquistas laborales, y pierden fuerza y hasta desaparecen sindicatos —oficiales o no—.

¿Dechaparecher yo? Si soy inmortal.

75

A esta situación grave, Que Agrede los intereses de los Trabajadores y Que Genera desempleo, se Agrega Algo más.

Para Competir con las Empresas de EU, las Empresas Mexicanas Se Han Tenido Que Modernizar. Esto Quiere decir: Optimizar Recursos y Adquirir Nueva Tecnología... Tecnología Que Suele desplazar mano de obra, Causando despidos en Empresas públicas y particulares. Otra Forma de "Modernizar" Consiste Simplemente en reducir personal... puros despidos.

Esto Quiere decir que el TLC ya ha Traído despidos a México.
- Sólo en Pemex, los despedidos se cuentan por decenas de Miles Pero en cuanto entre en Vigor, va a provocar el cierre de miles y miles de Micro pequeñas y medianas industrias, Lo Que Generará un desempleo Brutal.
- Sólo las empresas que puedan reconvertirse ofrecerán empleos mejor pagados... Pero Serán muchos menos empleos.
- Los únicos nuevos empleos Que Traerán Consigo el TLC Serán los de las Nuevas Maquiladoras.

XI. El país de la maquila

Como dijimos antes, una de las opciones de la pequeña industria es Transformar las Plantas de producción en Maquiladoras.

Es decir: Montadoras o Fabricantes especiales de Piezas Que se importan sin Costo y se reexportan procesadas al Extranjero.

Las Maquiladoras son el Único Tipo de industria Que se ha multiplicado en los últimos Años.

Si... hasta Parece Que Maquilaran Maquiladoras.

A Lo largo de la FronTera de México con E U, Se han instalado más de 1,800 Maquiladoras. En Total serán 2 mil. Estas dan Empleo a casi 500,000 personas. Se Espera Que con el TLC se Abran más Maquiladoras.

Ándale... Yahí es donde irían a chambear los despedidos de la Mediana industria.

No Necesariamente. Las Maquiladoras No Abren Tantas FuenTes de Empleo.

Además, a las Maquiladoras No les interesa el TLC. Ya Tienen el Suyo desde hace Rato.

Pero las Maquiladoras, además, plantean problemas serios para la calidad de Vida de sus Trabajadores: Las Condiciones de Vida y de Trabajo suelen ser pésimas.

Bueno... a eso Ya estamos Acostumbrados.

No Creas... Los Trabajadores de la Maquila Suelen Ser Migrantes... (La Mayoría son Mujeres).

No es lo mismo Que Te paguen mal en Tu pueblo a Que Te paguen Mal a Miles de Kilómetros de Tu Familia y de Tu Cultura.

77

Los Salarios Siguen Siendo Bajos... Pero Las Cargas de Trabajo son Brutales. Y Por Si fuera poco, en las Maquiladoras se Trabaja Frecuentemente con SubsTancias Tóxicas (Químicas y RadioacTivas), sin protección alguna. Los InsTrucTivos para Manejar SubsTancias Tóxicas Suelen Venir en Inglés, No Son Traducidos al Español... Los Envases Son HabiTualmente ReuTilizados para Faenas domésticas

Muchas Enfermedades como infecciones inTestinales y de la piel, cáncer AborTos, y úlTimamenTe AnencefaLia, han Sido Relacionadas con el Trabajo en Maquiladoras.

Además, las Maquiladoras se han CaracTerizado por no respetar el Medio AmbienTe. Muchas de las indusTrias Que en EU Tenían Problemas por ensuciar el EnTorno, se pasaron del Lado Mexicano de la FronTera.

Para ConTaminar A GusTo.

- Según la Propia Secretaría de Desarrollo Urbano y Ecología, de las 1,963 Maquiladoras Que había en 1991, 1,035 eran Consideradas Como Contaminantes.
- Según algunas estimaciones independientes, más del 80% de las Maquiladoras son Contaminantes.
- Por Ciudad Juárez se ha Registrado la Mayor Contaminación de Tóxicos del Continente.

En Matamoros, Mujeres de una Maquiladora, Trabajaban con Combinaciones altamente Tóxicas de PCB. Lo hacían durante largas horas y sin mayor Protección Que unos simples guantes de Hule.

Muchas de ellas dieron a luz a niños con deformaciones físicas semejantes y con Problemas serios de Aprendizaje.

Hasta Ahora, la Maquila se Ha Mantenido como un programa de Excepción. Con el TLC se Volvería la Norma... Así Que¡Cuidado!

De este lado de la Frontera las industrias Contaminantes, no sólo No pagan lo que pagan en EU en Equipos Anticontaminantes y en impuestos por Contaminar, sino Que además Aquí los Eximen de impuestos por generar Fuentes de Empleo.

Es un negocio Redondo.

Otro de los Problemas de las Maquiladoras, es que no son industrias Que se Queden en el País, Ni Que Permitan Construir una base Firme para una Economía Nacional. Son industrias Que Como Llegan, se Van. Y como no están en su País, No Les importa Contaminar, Ni dañar a los Nacionales... Ni mucho menos hacer Patria.

Qué Raro. Según esto, Vamos en el Rumbo Nacionalista.

TAIWAN 5 Kms

TLC

Vamos Hacia un modelo de país Maquilador, estilo Taiwán. Estos son los Nuevos empleos que ofrece el TLC.

XII. El nuevo socio

Los Canadienses se Quejan de Que EU impone Barreras proteccionistas sobre los Productos Canadienses, cada que se le antoja. Además, hay Que ver cómo se portó EU con los Productos Mexicanos y Canadienses en plena Negociación del TLC.

1º En plena Negociación, EU decretó un embargo atunero conTra México, porque los ATuneros Mexicanos maTaban más delfines Que los ATuneros de EU la Agrupación Ecologista Green peace condenó el embargo y lo calificó de un acto de Ecoimperialismo.

Puros PreTexTos.

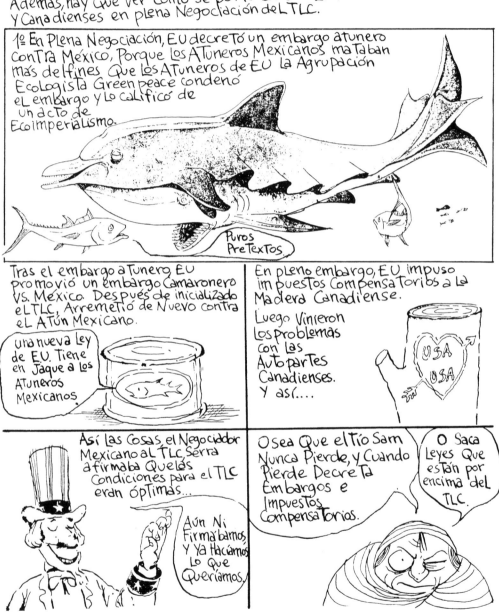

Tras el embargo aTunero EU promovió un embargo Camaronero vs. México. Después de inicializado el TLC, Arremetió de Nuevo contra el ATún Mexicano.

una nueva ley de E.U. Tiene en Jaque a los ATuneros Mexicanos.

En pleno embargo, EU impuso impuestos CompensaTorios a la Madera Canadiense.

Luego Vinieron los problemas con las AutoparTes Canadienses. Y así(....

USA USA

Así las cosas, el Negociador Mexicano al TLC, Serra afirmaba Que las Condiciones para el TLC eran ópTimas...

Aún Ni Firma'bamos, y Ya Hacíamos Lo Que Queríamos.

O sea Que el Tío Sam Nunca Pierde, y Cuando Pierde DecreTa Embargos e Impuestos CompensaTorios.

O saca Leyes Que esTán por encima del TLC.

XIV. Los recursos naturales

Según la Constitución, el Estado Mexicano es dueño del subsuelo. Antes del TLC, las concesiones para explotar la riqueza del subsuelo eran muy pocas y estaban muy limitadas.

Las concesiones en minería eran limitadas. No se podían concesionar ríos ni lagos a particulares, y la figura del Ejido establecía una forma de patrimonio comunal de la tierra.

El principio constitucional era que México decidiese su presente y su futuro, con base en el control de los recursos naturales que le pertenecen.

Y es lógico... Si México no tiene control sobre sus riquezas, no puede en el futuro definir sus políticas de abasto.

¡México para los Mexicanos!

Perdone joven, pero el lema es: América para los Americanos.

Un País Que Controla sus Recursos es un País Soberano. Un País Que No Los Controla, Pierde Soberanía sobre su Riqueza, su economía... En fin, sobre su Futuro. Esto Le está pasando A México con eL TLC.

MUCHO MEJOR ASÍ: SIN DESEMBARCO EN VERACRUZ, SIN NIÑOS HÉROES...

Cartón de Helguera.

Durante La Negociación deL TLC Se Introdujeron Cambios en la Constitución y en Varias Leyes Reglamentarias, Referidos a Propiedad de La Tierra, Explotación de Minerales, etc...

Según las Declaraciones oficiales, No Se Ha Perdido Soberanía. Veamos Qué ha pasado... Qué Implican estos Cambios en La Práctica.

XV. El petróleo

Desde un principio, el Gobierno de Salinas dijo Que el TLC Sería Congruente con las disposiciones de la Constitución... Que el TLC se Adaptaría a ella...

Lo Que Ha venido Sucediendo es Que Antes de entrar en Vigor el TLC, la Constitución Se ha Adaptado a él.

Veamos el Caso del Petróleo.

Según la propaganda oficial, México Seguirá Siendo dueño de Su Petróleo. Según esto

1º No entrarán Compañías Extranjeras a Explotar Petróleo.

2º No Comerciarán Compañías Extranjeras directamente Con Petróleo, gas, refinados y Petroquímica Básica.

3º No Pagará Pemex con Petróleo por Trabajos Que Encargue.

4º No Se dio garantía alguna a EU y Canadá de Vender petróleo.

5º No Habrá Gasolineras Extranjeras en México.

Todo esto Suena muy bien...

¿Pero Qué hay más allá de este discurso?

Es sabido que una de las presiones más fuertes de EU y Canadá durante las negociaciones, fue sobre el petróleo. Querían un mercado de energéticos completamente abierto.

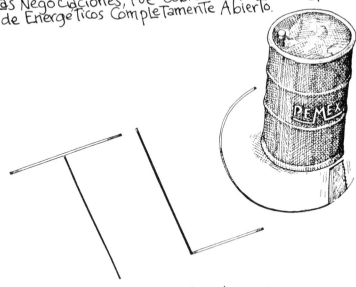

Las reservas mexicanas de petróleo doblan las de EU y son 8 veces más grandes que las de Canadá. En 1992, México cuenta con una apetitosa reserva de 65,000 millones de barriles.

CARTÓN DE HELGUERA.

Sin Embargo, la Situación de la Industria Petrolera No es muy Halagüeña. La inversión en Pemex bajó un 85% entre 1981 y 1985. Se Abandonaron Refinerías. Se dejó de Buscar la Autosuficiencia en Refinados. Sobre Todo, Se descuidó el mantenimiento, con los Riesgos Que esto implica para la Población...

¿Remember Guadalajara?
→

La Industria Petrolera Mexicana No Puede Competir en Capacidad de Refinamiento con las de EU y Canadá.

- EU Tiene 182 refinerías Modernas.
- Canadá Tiene 27.
- México, Sólo 9.

Bueno... Si No Nos Lo Podemos Llevar, Nos Lo Refinamos Aquí mismo.

EL Interés Básico de EU sería invertir en Refinadoras, Rubro en el Cual México No Puede Competir ni con Canadá, Ni con EU.

Pues Bien... Según esto, Ni E U, Ni Canadá Pueden Comerciar con Petroquímica básica de Manera directa. Pero en Julio de 1992, a Través de la Ley Orgánica de Pemex, los Productos considerados parte de la Petroquímica Básica Se Redujeron de un Total de 19 a sólo siete.

Es Decir Que EU Y Canadá pueden Comerciar directamente con 11 de los 19 productos que hasta Julio de 1992 eran parte de la Petroquímica Básica.

¡Ah Qué Detallazo!

También en Julio de 1992 -en lo Que Muchos Analistas Consideran un Paso Significativo Hacia la Privatización- Pemex Fue Fraccionado. Petróleos Mexicanos Ya no es una Sola Empresa, Sino un Holding con una casa Matriz y cuatro Subsidiarias.

Por último, se han dado permisos discrecionales para contratar a compañías extranjeras en actividades legalmente reservadas a Pemex.

Tal es el caso de una Compañía de EU que realiza trabajos de Exploración en Tabasco.

← cartón de Helguera

Ni los EU ni Canadá han quitado el dedo del renglón en lo que a energéticos se refiere. Y si bien no han logrado todo lo que querían, han avanzado.

Y han avanzado mucho.

Con el TLC, el petróleo deja de ser un recurso estratégico para México. Se convierte en una mercancía sujeta a las leyes del mercado.

Con esto, EU asegura su abasto de petróleo.
. . . .
Para alcanzar el TLC, los negociadores mexicanos han tenido que ceder petróleo... y soberanía.
. . . .

93

En lo Que se Refiere a la Mineria, la SEMIP inició, durante 1992, Todo un Proceso de Desregulación Que Permite Que los Extranjeros Hagan Contratos para Explotar Minerales Mexicanos Cosa Que Antes Tenían Prohibida.

Mexicanos al Grito de Guerra
EL Acero Aprestad y el Bridooón
Y Retiemble el Subsuelo de La Tierra
al Sonoro: "Desregulación"
(se Repite el último verso).

Mas si osare un extraño enemigo
Profanar con su planta tu suelo
Piensa Oh patria, Querida, Que el Subsuelo
un Contrato en Cadamina Te dio.

(Fernando Hiriart, Secretario de la Semip durante la Desregulación).

EL FISGÓN

Con Todas estas Medidas México Pierde Control Sobre sus Recursos Naturales... Y al Hacer esto, Pierde Soberanía.

Todo en Aras de un Mercado más eficiente Y Productivo.

Todo en Aras de la Apertura Comercial.

— POR ÚLTIMO —
Pese a Que el Gobierno Mexicano dijo que no lo iba a Hacer, a Finales de 1992 Cambió la Ley de Inversiones Extranjeras.

Es más... ¿Quieren Ver en Qué Consiste esa apertura Comercial adicional Que Buscamos?

Sin embargo el Problema más Grave de Soberanía Que Nos Plantea el Libre comercio, No **es** ni el Petróleo ni las minas, sino el Campo.

Todos Comemos del Campo...

Aunque No Todos los del Campo Comemos.

Un país Que No Tiene Control Sobre Su Abasto, No Tiene Control Sobre Su Presente, Y los Mexicanos ya Estamos en ésas.

La Liberalización Comercial en el Campo Acabó con la Autosuficiencia Alimentaria... Y hasta con las Posibilidades de ser Autosuficientes a Mediano Plazo.

CORN USA

El campo entró en crisis desde los 70's Pero en los 80's en vez de aliviarlo, lo acabaron de fregar.

En los 80's, se abrió el mercado de granos básicos a la importación. Durante esa década, se importaron más de 10 millones de toneladas de granos básicos: Maíz, Trigo, Arroz y Frijol...

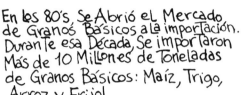

Nos la hicieron horrible de frijol.

Una buena parte de esos granos venía de EU, donde los granos son subsidiados fuertemente para que los farmers les vendan barato.

X-1 --- X-1 Ahora vamos sobre Oaxaca. Cambio.

No hay productor mexicano que pueda competir con los precios del maíz gringo. Los precios se desplomaron.

También la producción.

Desde entonces, México no ha vuelto a ser autosuficiente en maíz, frijol, arroz, trigo, etc... lo que es grave, pues la dieta del mexicano es a base de estos granos.

El Deterioro en la Producción de Alimentos, junto con el incremento en el Consumo de Alimentos Chatarra, Han Causado un deterioro real en la Calidad Nutricional de la dieta Básica del Mexicano.

Entre 1988 y 1990, El Consumo del Frijol (La Proteína del Pobre) Bajó en un 43.3%.

¡Ah! Pero Qué bien Se Vendieron Los Tranquesitos Chinguiñosos Rellenos de Cuchufleta.

En ese mismo Período, el Consumo de La Tortilla Bajó 1.63%, Mientras Que Su precio Sufrió un Aumento de 148.57%.

En Cambio, Subió el Consumo de Cron churritos Crujientosos con Pico Lino Chilentoso.

En 1990 Se Adquirió 14.36% Menos de Leche que en 1988 (Su precio Subió 183.76%).

Ah, pero Qué Rico Sabe la Guaca-Cola Burbujeante con Sabor a Diet-Piña.

El Consumo de Huevo Bajó en un 32.52%, mientras Que su precio Aumentó 130.8%. Todo esto entre 1988 y 1990.

Ahora Desayunamos Papatritas Sabrotosas con Cubierta Triquinosa.

- Todo esto es muy grave en un país en el que la desnutrición se Transmite de Generación en Generación!
- 20% de Los niños Mexicanos Nacen Ya Desnutridos.
- Según el Instituto Nacional de Nutrición, Sólo el 15% de Los Mexicanos están Bien Nutridos.

97

El descenso en el Consumo de maíz Fue de 489 mil Toneladas en 1984 a 248 mil Toneladas en 1988.

El descenso en la Producción de Maíz fue de, más o menos, un Millón de Toneladas, Entre 1984-1988.

Y Mientras Que La Extensión de Tierra dedicada a la Ganadería Aumentó en 316%... Y Mientras Que La Extensión de Tierra dedicada a Cultivos Comerciales Creció Rápidamente...

La Extensión dedicada a Granos Básicos Disminuyó 16%.

Bajó el Consumo de Maíz, pero Subió el Consumo de ChocoTroTos Harinosos con Relleno SebosiTo.

¿Quién Quiere Comer eloTes Cuando Hay TripiTrapes, PoposiTos, Chiplosos de Mascar y Chamoy Letes?

Si la dieta Básica no se Enriquece ni Con Carne ni Con AlCachofas, Sí Se Enriquece con TakaTraques VainillenTos y ChopoleTas con Quitapón.

¿No me Compra un EloToso SabroTropo con ExquisiTos GranuliTos Maicerosos?

98

La Agricultura Mexicana está en la Bancarrota.

El Agricultor Mexicano Tiene Subsidios muy bajos, si es que los Tiene.

A los Agricultores Gringos los Subsidian... A nosotros, Nos Suicidian.

En Cambio, la Agricultura de EU y Canadá es Toda una industria Pujante.

El Agricultor de EU Tiene un Subsidio Promedio del 28.3%; el de Canadá Tiene un Subsidio Promedio de 39% del Presupuesto Gubernamental.

·EU Subsidia a sus productores de Azúcar con 77.4%.
· A los de Leche, con 53%.
· A los de Trigo con 36.5%.

Todo esto da Precios Internacionalmente muy bajos.

(Aunque esto no necesariamente Implica Que a los Farmers Les Vaya Bien).

99

En México Hay Sólo 1 Tractor por Cada 50 Trabajadores Agrícolas.

· En México, las Semillas Mejoradas Cubren el 20% de los Campos.

· México casi no Tiene Infraestructura Hidráulica.

· La Poca Que hay está en pleno deterioro.

Ooh... Ni Tanto.

Por Supuesto, el Rendimiento Anual en México es:

Maíz ——————— 1,732 Kgs/Ha.
Frijol ——————— 542 Kgs/Ha.
Arroz ——————— 3,303 Kgs/Ha.

En EU y Canadá Hay 3 Tractores por Cada 2 Trabajadores Agrícolas.

· En EU y Canadá cubren el 100%.

· EU y Canadá Tienen Ríos Lagos y una infraestructura Hidráulica Abundante y Excepcional.

Mientras Que en EU y Canadá es de:

Maíz· EU-6,957 Kgs/Ha. Canadá-6,240 K/Ha.
Frijol: EU-1,661 Kgs/Ha. Canadá-1,865 K/Ha.
Arroz· EU-6,249 Kgs/Ha.

Si Ya Va a ser Difícil para la Planta Productiva Nacional Competir dignamente Con los Productores de EU y Canadá, Para el Campo Mexicano, Casi es La Muerte Segura.

En Concreto, Los Costos de Producción de México Son 3 veces Mayores Que Los de EU en Maíz. Casi del doble Que Canadá en Trigo.

¿Sembrando Maíz?

No, Enterrándolo.

- Por Lo Tanto, La Instrumentación del TLC puede provocar La desaparición casi completa del Cultivo Nacional de Granos Básicos.
- Esto pone en riesgo La Seguridad Alimentaria Nacional.

- Esto Amenaza de Muerte a la Cultura del Maíz, Base de la Cultura Mesoamericana. Base de Todo un Ecosistema Que Tomó Siglos Construir.

Lo Peor es que Todos Los Granos Básicos están incluídos en el TLC.

Y en Ningún Momento, Ni EU ni Canadá Han Hablado de Retirar Subsidios a sus Agricultores...

Si los Granos Básicos de EU y Canadá entran al Mercado Mexicano en una mayor escala, el Colapso de La Agricultura va a ser aún más Agudo. Aunque el maíz y el Frijol mexicanos estén protegidos por 15 años... La Agricultura Mexicana Tiene décadas de Atraso, si se le Compara con la de EU y Canadá...

¿Qué va a Pasar con los Campesinos? ¿Cuántos se van a Tener Que Poner a Sembrar Espárragos? ¿Cuántos van a Tener Que dejar sus Tierras?

Según los Cálculos más Conservadores, Si el Maíz Se Hubiera Abierto al Libre Comercio en 1992, Hubieran Sido Afectadas 850 mil Familias.

A los Campesinos, Ni Maíz.

Ah, eso sí...Gracias a las Modificaciones al Artículo 27 Constitucional (Hechas durante las Negociaciones del TLC), las Tierras ejidales dejaron de ser Intransferibles. Pasaron a ser una Mercancía.

Ahora, Sociedades Mercantiles Podrán Apropiarse de esas Tierras Ejidales y Comunales, y hasta Hacer Latifundios. Sólo en Algunas Ramas, los Productores del Campo Mexicano van a poder Competir Con EU y Con Canadá.
Son Pocos, pero van a Tener muchas Facilidades para crecer a costa de los mas, Que van a Tener Que Emigrar.
Son Pocos los Campesinos Que Pueden Cambiar a Cultivos más Productivos.

Es Sabido Que el Flujo de Migraciones de Mexicanos a EU
Aumentó desde Que Comenzó el programa de Liberalización
Económica, a principios de los 80's. Es decir, desde Que
Se Abrió el Mercado de Granos Básicos a la Importación.
Y Ya Sabemos el Calvario que pasan estos migrantes
en los 2 lados de la Frontera.

Contrariamente a la Idea Que han propagado Sus Promotores
Norteamericanos en el Sentido de Que el Tratado va a Frenar
las Migraciones a EU. Todo indica Que van a Aumentar.
Y Aqui viene otro Problema.
En Todo proceso de Integración económica, la movilidad
laboral es una de las Cosas básicas.
Pues bien, en las Negociaciones del TLC, la Movilidad
laboral ha Sido Ignorada Totalmente.
No Hay Garantías para los Inmigrantes.
Las Fronteras siguen Cerradas para ellos.

Se Puede Prever una fuerte migración a las Ciudades.

Sólo en Azúcar y Algodón México Puede Competir con EU.
Pero Con La Apertura de Fronteras, Hay oTros rubros que
ya han sido AfecTados y Que Lo van a ser aún más con la
enTrada en Vigor del TLC. ALgunos de esTos rubros Son:

- La Ganadería
- La AvicuLTura
- Los EmbuTidos
- Los ALimenTos enlaTados
- Los AceiTes
- La Papa
- ALgunas FruTas como
  La Manzana
- eTc...
- Lo Que ha crecido
  es la ExporTación
  de HorTaLizas.

Los PromoTores deL TLC ManejaRon mucho la idea de que
las AgricuLTuras de los 3 países eran ComplemenTarios.
EU Tiene un Granero NaTural en el Medio OesTe.
Pero México Podría ExporTar HorTaLizas...

Pues ResuLTa Que:

1.- Las HorTaLizas Requieren de Mucha Agua...

Mucha más Que Lo Que Requieren Los Granos.

2.- Para Producirlas indusTrialmenTe se Requiere de Muchísima Agua.

3.- AL ExporTar HorTaLizas, México ExporTa Su Agua.

4.- EsTo No Sería Grave Si México no Fuera un País con Tan Poca Agua.

México es un País Semi-Árido en la Mayor Parte de Su Territorio. Por eso, en sus leyes - Que No en la Práctica - Siempre Ha Cuidado sus Recursos Hidráulicos.
Gracias a algunos Cambios en la Constitución, los Extranjeros podrían Concesionar presas, ríos, lagos, etc. Que no estén en Costas o Fronteras.

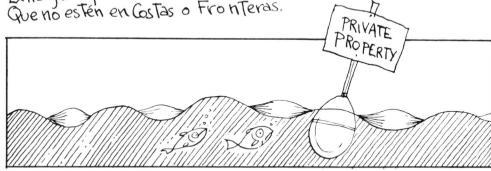

Algo Similar Sucedería con los Bosques, las Zonas pesqueras, etc. El Proceso de Integración económica plantea problemas Severos de Soberanía.

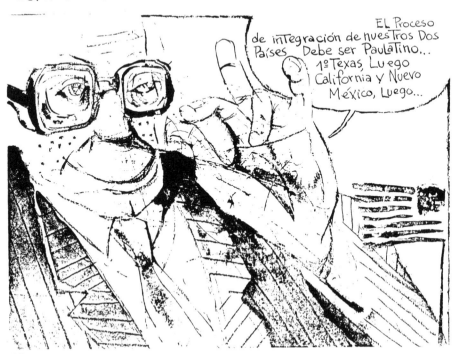

XVII. El medio ambiente y la salud

Y ya que hablamos del Agua y los Bosques, hablemos del Medio Ambiente...

Uno de los Capítulos importantes del TLC es el que se refiere a Normas que son las Disposiciones para proteger la Salud, los intereses del Consumidor y el Medio Ambiente.

Y aquí siguen los problemas: desde que el Libre Comercio comenzó, las Empresas de EU han Enviado muchos de sus productos Chatarra a México.

¡Órale es de Importación!

Lleve el Miki Maus.

Estos Productos de importación, de ínfima Calidad, se pueden vender en México, pues en este país la Aplicación de Normas nunca ha sido muy Estricta.

¡A México!

Y si esto Plantea Problemas a nivel de Productos al Consumidor, Imagínense lo que plantea a nivel del Medio Ambiente.

Además, el Capítulo de Normas, en el Texto final del Tratado, Estipula Claramente Que Cada País Seguirá Aplicando sus propias normas, y que éstas no se utilizarán para impedir el acceso de los productos a los Demás países... El Panorama es más o menos el que sigue:

Parece ser Que la débil protección ecológica de México sigue siendo uno de los Atractivos Básicos Para que ciertas industrias se Instalen en el País a Partir del TLC.
Si Todas las Industrias Altamente Contaminantes de Canadá y los EU se instalaran en México, la Nación Quedaría Hecha un Basurero.
Mientras No se Apliquen con Firmeza las Normas Ecológicas, esta Posibilidad Existe.
El TLC puede hacer de esta Pesadilla una realidad.

Aún es muy Temprano para Evaluar en Toda Su Magnitud el Impacto Político del TLC.

Aún no Sabemos Cuánta Soberanía puede perder México ante EU con el TLC, Ni Cuánta ha Perdido Ya Para Siempre.

- Lo Que es Claro es Que el Gobierno de Salinas Ha Echado Mano de Todo Para Llevar a Cabo Su Proyecto Económico, del Cual el TLC es una Parte Fundamental.
- El Gobierno de México Ha Gastado For Tunas en el Cabildeo ante los Congresistas y demás Políticos Gringos (Al menos, 90 Millones de Dólares).
- Durante este Sexenio, se hicieron Concesiones antes inconcebibles en materia de Política Exterior (el Beneplácito prematuro a Negroponte, las Concesiones a la DEA... etc...).

- En Política Interior, El Gobierno de Salinas No escatimó esfuerzos para Imponer esta Política Económica.

Desde 1988, en México Han Arreciado las Protestas, las Explosiones Sociales, por lo Que la Oposición Califica de Claros Fraudes Electorales.
No Hay Respeto al Voto. Lo Que Hace Aún más dudosa la legitimidad del Régimen... Y de sus políticas.

Un Solo Partido de Oposición Tiene documentados más de 150 casos de Muertes de sus militantes por hechos políticos.

• Aunque los Grupos internacionales de Derechos Humanos han peleado Por que los derechos Humanos se incluyan en el TLC.

• A pesar de la Creación de la muy respetable Comisión Nacional de Derechos Humanos...

– Las Corporaciones Policiacas Violan día con día los derechos Humanos.

– Además, el TLC Busca mantener Salarios de Miseria, Lo Que es otra Forma de Violación a los Derechos Humanos.

ReCuerden:

1º EL LiBRE CoMERCio Ya se
Está LLevando a La PrácTica
en México (con Los resuLTados que ya vemos).

2º La Firma deL TLC va a darle
LegaLidad y Celeridad aL
Proceso de InTegración Económica.

- EsTo es grave, pues Hace
Irreversible La pérdida de
Soberanía.
- Hace Irreversible eL
daño deL TLC en
Muchos Terrenos.

3º EL TLC No es
Como lo PinTan.

Veamos:

Dicen Que Con el TLC Vamos a Entrar a un Mercado miles de Veces más grande Que el Mexicano.

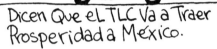

En Realidad, como está México, No podemos Competir en ese Mercado.

Dicen Que el TLC Va a Traer Prosperidad a México.

Sólo le Va a Traer Prosperidad a las Grandes Empresas.

Dicen Que Se Fortalece la Empresa.

La Pequeña Y Mediana Empresas No Van a Resistir el impacto del TLC.

Dicen Que el TLC Va a Traer Más Empleos a México.

De Entrada, el TLC pone en Riesgo Millones de Empleos. Va a Crecer el Desempleo.

Dicen Que Nos dará acceso a Tecnología.

No es Cierto.

Dicen Que los Empleos Que puede Traer el TLC Serán Mejor Remunerados. Que Van a Subir los Salarios.

EL Gran Atractivo de México Para las Empresas de EU y Canadá, Son Sus bajos Salarios.

Dicen Que Se Va a Respetar la Constitucion.

La Constitución ya Fue modificada a fondo a la medida del TLC.

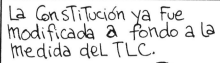

Dicen Que México No Pierde Soberanía.

México Pierde Soberanía. Pierde Control Sobre Sus Recursos, Sobre Su Abasto Alimentario...

etc.

Dicen Que No Se Va a Tocar el Petróleo.

Ya Se Cedieron 11 de los Petroquímicos Básicos... Y Sigue La Negociación.

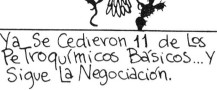

Dicen Que van a bajar Las Migraciones a EU.

Falso. Lo más Probable es Que Crezcan.

Dicen Que Va a Traer nuevas OporTunidades aL Campo.

EL CulTivo de Granos Básicos corre el Riesgo de desaparecer. EnTra en crisis La Ganadería, la AvicuLTura, eL CuLTivo de La Papa, etc.

Dicen Que Van a Vigilar Rigurosamente las Normas AmbienTaLes.

¡JUAR-JUAR-JUAR!

Dicen Que eL Libre Comercio Trae Riqueza.

Hasta Ahora Sólo ha Traído Miseria para La Mayoría de La Población.

"Dicen Que Por Las Noches, Todo Se Le iba en puro Llorar... Dicen Que el Mismo cielo Se estremecía al oír su llanTo. ¡AY-AY-AY-AY-AY lloraaaaaba!"

Ya no sean Chillones.

Cómo no vamos a Llorar Si Además Nos dicen que el TLC es la Única ALTernaTiva Que Nos Queda... O que es el TLC, o que nos va a ir peor.

Eso No es cierTo. ALTernaTivas al TLC Siempre Las Ha habido. Tenemos desde el PacTo ConTinenTal Que Propone Cárdenas, hasTa Las posiciones de ConChello, pasando por Las PropuesTas de La Red de Acción FrenTe al Libre Comercio.

Lo Que Pasa es Que La Propaganda oficial es FuerTe, y el Silencio y La desinformación Son Peores. Pero Hay muchas formas de Organizarse y hacerLe FrenTe al TLC. BasTa Conque La genTe Quiera.

115

Además, el TLC Ha Hecho una cosa muy importante... Así como Abre un espacio de Entendimiento para los grandes empresarios de los 3 países...

También abre la Necesidad de Que Se entiendan y Organicen los Empleados, Campesinos y Pequeños Empresarios de los 3 países.

Si Quieren Romper los Sindicatos Nacionales, los Trabajadores Tendrán Que Armar Sindicatos Trinacionales, Para defender sus intereses.

También Tendrán Que Organizarse Así los Campesinos, los Ecologistas... Todos.

117

Ya saben ustedes cómo son las leyes de la brujería... Es muy difícil deshacer un hechizo... Y este Tratado es de lo más hechizo que he visto.

Bueno, pero ¿no podría al menos protegernos a Don Modesto y a mí?

No. Al menos que se vuelvan hijos de los 37 hombres de negocios.

Órale... ¿Qué pasó?

Hay mucho que hacer aún... Recuerden el antecedente histórico del Tratado Mc Lane-Ocampo, que nunca se llevó a la práctica...

Pero con este TLC nos puede llevar toditita la práctica. Ándele, Doña Beba... Usted que es bruja... Recétenos algo para no sentir tan feo el impacto del TLC.

Pos Si No se Organizan, Lo Único Que Les Puedo Recetar son unos Fomentos de Árnica, y que se Unten Harta Pomada de la Campana, porque el Fregadazo Va a estar Fuerte.

¡Así Que Hagan Algo! ¡No Se Queden Ahí Sentadotes como Diputados! ¡Muévanse!

Y Así fue... Don Modesto Se Preparó para la Llegada del TLC... Ya No Vende Abarrotes... Ahora Vende Curitaz, Mertiolatex, Yodes, vendas para Chipotes, etc...

¡Lleve Su Botiquín para el Fregadazo!

Mientras Que Ángel Prieto se Fue A Convencer a un Monero de que Hiciera un Libro Sobre el TLC.

Cómo ves Que Empiece diciendo: "En Algún Lugar de la Mancha..."

No... Eso ya está muy usado.

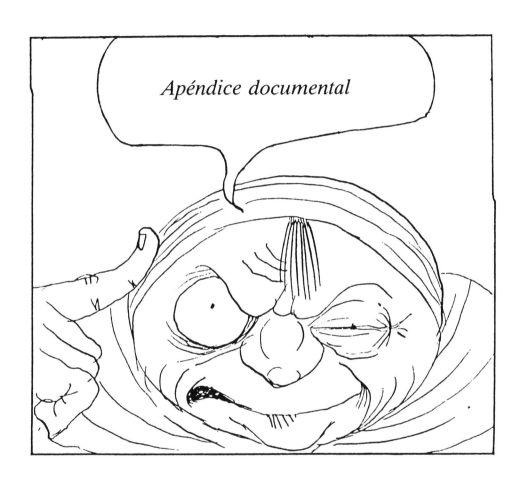

I. Fuentes documentales
de la Beba Toloache

Como el lector ya lo habrá notado, el autor no consignó fuentes de los datos que aparecen a todo lo largo de la historieta. Esto no se debe a un descuido, sino al hecho de que el autor prefirió no entorpecer la lectura con citas y notas al pie de página. Para quienes quieran corroborar la seriedad y veracidad de las cifras y datos citados, así como para aquellos que deseen consultar las fuentes originales, ofrecemos a continuación esta primera parte del apéndice documental. Esta información documental a veces será comentada y enriquecida con otros datos.

En el capítulo II, la Beba afirma que la economía de Estados Unidos es 25 veces mayor que la de México. Esta información proviene de la comparación de los datos oficiales a 1990 del producto interno bruto (PIB) tanto de Estados Unidos como de México.

En la página 11 del capítulo III, las dimensiones del bloque económico que se constituiría con el TLC están tomadas del documento "El ABC del TLC", editado por la SECOFI y obtenido por el autor a mediados de 1992.

Las cifras del cuadro que aparece en las páginas 12 y 13 del capítulo III sobre el estado actual de la economía de los Estados Unidos están tomadas del texto de David Brooks "Los sindicatos de E.U. ante el TLC". Ponencia ante el Tercer Coloquio de Jalapa, 10 de octubre de 1992. Completan el cuadro algunos datos tomados del reportaje de Doug Henwood, sobre la situación de la economía americana aparecido en *La Jornada* en la segunda quincena de octubre de 1992.

Las cifras que aparecen en la página 14 del capítulo IV están tomadas de las siguientes fuentes: El dato de que 37 hombres de negocios controlan el 22% del PIB, está tomado de un reportaje de C. Fernández

Vega y R. Fuentes aparecido en *La Jornada* el 1º de abril de 1991. La información de que los capitales regresaron a especular, está tomado de diferentes reportajes y artículos aparecidos en *La Jornada* entre 1991 y 1992. En un reportaje aparecido en *La Jornada* el 29 de noviembre de 1992, se consigna que la inversión foránea en la Bolsa de Valores mexicana creció 36.9 veces de 1988 a 1992. Es decir, pasó de 641 millones a 24 millones de dólares en tan sólo cuatro años. Las cifras acerca de los 40 millones de pobres, de los cuales 15 viven en extrema pobreza, aparecieron en el documento "El combate a la pobreza", febrero de 1991. Documento del Consejo Consultivo de Pronasol. Un documento más reciente apunta que los que viven en la extrema pobreza no son 15, sino 17 millones de mexicanos.

El comentario aparecido en la página 18 del capítulo IV acerca del estado de la deuda externa de América Latina está tomado del discurso de Fidel Castro: "Hacia una patria común- Primera Cumbre Iberoamericana", editorial Política, La Habana, 1991.

El cuadro comparativo de las páginas 22 y 23 del capítulo V está tomado del documento "Resultado de dos años de experiencia de Libre Comercio: de promesas que se han fundido como nieve al sol", por la Coalición Quebecuense sobre las negociaciones trilaterales Canadá-E.U.-México, abril de 1991. La información acerca de los 460 mil empleos que perdió Canadá sólo en el sector manufacturero, nos fue proporcionada por David Brooks. El dato de que el 70% de los canadienses se oponían al Tratado Trilateral de Libre Comercio, nos fue proporcionado por el pro-Canadá Network y tiene como fuente encuestas realizadas por periódicos canadienses.

Las cifras aparecidas en el cuadro de la página 41, capítulo VII, están tomadas de diferentes fuentes: acerca de la situación del salario y el desempleo en México provienen de "Los estragos salariales de la política neoliberal", texto de Miguel Óscar Orozco Orozco, aparecido en *La Jornada Laboral* en noviembre de 1991. También están tomados de "Situación de la infancia en México", del Colectivo Mexicano de Apoyo a la Niñez, aparecido en octubre de 1992. El dato de que seis de los hombres más ricos son mexicanos, está tomado de la revista *Fortune*. La afirmación de que el 45% de los menores de 18 años son pobres, está tomado de *La Jornada*, 1º de octubre de 1992. El informe de que el 20% de los niños nace ya desnutrido, está tomado de Matilde Pérez, *La Jornada*, 5 y 6 de septiembre de 1992. El dato de que el 40%

de la población se encuentra por debajo de los mínimos nutricionales mundiales, está tomado de "El combate a la pobreza", *op. cit.* El dato acerca de la aparición de la ceguera por desnutrición en México, está tomado de *El Sol de México*, enero de 1988. La información acerca de los once millones de niños menores de cinco años que tienen daños irreversibles por desnutrición y el de la mortalidad infantil en México, se tomó del documento "Situación de la infancia en México", *op. cit.*

La mención en el capítulo IX acerca de que el salario en México es diez veces más bajo que en Estados Unidos, en promedio, está tomada del texto "Los estragos salariales de la política neoliberal", *op. cit.* El dato de que las maquiladoras estadounidenses se ahorran 28 mil dólares anuales por trabajador al trasladarse a México, es un promedio hecho con base en informes obtenidos en diferentes fuentes por la Red Mexicana de Acción frente al Libre Comercio. El dato de que en Estados Unidos hay niños trabajando por primera vez en 50 años, está tomado de "Los sindicatos de E.U. ante el TLC", *op. cit.*

Las cifras aparecidas en el capítulo X acerca de la pequeña y mediana industria mexicana, están tomadas del texto de Javier Aguilar García, "Las empresas mexicanas, su ocupación y el TLC", aparecido en el documento de la Red Mexicana de Acción frente al Libre Co-

mercio, publicado en julio de 1991. (Cabe consignar que en los datos dados por Javier Aguilar no se incluye a los trabajadores del sector financiero.) Acerca de la información sobre los despedidos por las modernizaciones, quisiéramos consignar los siguientes datos que no pudimos integrar a la historieta. De acuerdo con Raúl Álvarez Garín en "Hacer de Pemex baluarte del desarrollo nacional", agosto de 1992, en Pemex, en 1989 la planta oscilaba entre 170 y 210 mil personas. En 1992, se había reducido a entre 100 y 130 mil y había proyectos para reducirla a 73 mil. Coincide con cifras dadas por el *Wall Street Journal* en septiembre de 1992.

Los datos aparecidos en el capítulo XI acerca de las maquiladoras están tomados del documento de Bertha Luján, "La experiencia de la maquila en México. Una visión sindical", publicado en febrero de 1992 por la Red Mexicana de Acción frente al Libre Comercio, y de "Mucho ojo", del grupo de Desarrollo para Políticas Alternativas.

Los datos del capítulo XV acerca de la situación de la industria petrolera en México, están tomados concretamente de las siguientes fuentes: sobre el número de refinerías y la dimensión de las reservas petroleras de México, de "La industria petrolera en México", INEGI, 1991. El de que la inversión petrolera en México ha bajado 85% entre 1981-1991, está tomado de "Informe sobre la reconversión de la industria petrolera mexicana", de Fabia Barbosa, UNAM II, Ec- 1991. El dato de los cambios en la ley orgánica de Pemex apareció en todos los diarios nacionales en julio de 1992. La información acerca de los cambios a la Constitución mexicana apareció en toda la prensa mexicana durante 1991 y 1992.

Los datos que aparecen en el capítulo XVI están tomados de diferentes fuentes: La información de que desde principios de los ochenta se importaron más de 10 millones de toneladas de granos básicos, con su consecuente caída en los precios, está tomada del documento "Mucho ojo", *op. cit.* Los datos acerca del deterioro en el consumo de frijol, la tortilla, la leche y el huevo y su aumento de precio están tomados del periódico *Unomásuno* del 26 de abril de 1992. La información acerca de que el 20% de los niños mexicanos nacen ya desnutridos y de que la desnutrición se hereda de generación en generación, está tomada del texto de Matilde Pérez aparecido en *La Jornada*, art. cit. El comentario de que sólo el 15% de los mexicanos están bien nutridos, se tomó de una entrevista a la investigadora del Instituto Nacional de la Nutrición "Salvador Zubirán", doctora Sara Elena Gil, aparecida en el documento de Comexani, *op. cit.* Los datos del descenso en la producción y consumo del maíz están tomados del periódico *Unomásuno*, 26 de abril de 1992, *op. cit.* La información acerca del desplazamiento del cultivo de granos básicos por cultivos comerciales, está tomado de "Pobreza perversa", de Úrsula Osvald, publicado por Equipo Pueblo en 1990. Las cifras del cuadro comparativo aparecido en las páginas 85 y 86 están tomados de "El campesinado ante el TLC", de Úrsula Osvald en *Cuadernos Agrarios*, núm. 4, abril de 1992, y de "Competitividad y ventajas comparativas del sector agropecuario mexicano ante el TLC", *Cuadernos Agrarios*, núm. 4, y en el texto "Perspectiva de la agricultura mexicana ante el TLC entre Canadá-EU-México", publicado en la Memoria de Zacatecas, editada por la RMALC. La información acerca del número de campesinos desplazados por el TLC, si éste entra en vigor en 1993, nos fue proporcionada por David Brooks (datos sólo para campesinos dedicados al cultivo de maíz). Sobre este particular se recomienda la lectura de las investigaciones de José Luis Calva.

Los datos aparecidos en el capítulo XVIII, acerca del gasto hecho por el gobierno mexicano en cabildeo, están tomados de una declaración del doctor Argüeyes, oficial mayor de la Secofi. Dijo que se habrían gastado 90 millones de dólares en cabildeo. Según la RMALC, esta cifra está muy por debajo de la realidad.

II. Documentos complementarios

Para darle a los lectores un panorama más amplio sobre las alternativas propuestas al TLC, presentamos aquí tres textos que ayudarán a tener una visión más completa de lo que se puede esperar de un Tratado de Libre Comercio diferente al negociado por los gobiernos de México, Canadá y Estados Unidos.

Presentamos un texto de José Ángel Conchello, un texto de la Red Mexicana de Acción frente al Libre Comercio, y la Iniciativa continental de desarrollo y comercio de Cuauhtémoc Cárdenas.

El arrepentimiento y la traición

José Ángel Conchello

Estimado Fisgón:

Después de lo que has fisgoneado en el TLC quedaría poco por decir de todas las barbaridades que puede traer a los mexicanos.

Lo que pasó el mes de diciembre del año de la Afrenta Nacional de 1992, te da la razón, nos da la razón a quienes nos opusimos a este tratado, que ni es de comercio, ni tiene nada de libre.

Me refiero, primero, a las declaraciones del presidente mexicano al periódico *The Wall Street Journal* una semana antes de firmar el documento en Los Pinos, y segundo, al discurso pronunciado por el presidente de E.U. en la Organización de Estados Americanos allá en Washington el día que firmó el documento.

Con ambas cosas, el uno nos dio la razón en lo interno; el otro, en lo internacional. Éste nos dio la razón respecto a la economía, aquél nos la dio respecto a la política. Para el de México era el final de un proceso, para el estadounidense era apenas el principio de otro.

Cuando oímos a éste declarando al *Wall Street* me daban ganas de decirles: ¡Se los dije! y cuando oímos a aquél aconsejando a toda América Latina debimos decirle: "Ya lo sabía".

En verdad, faltando diez días para que se firmara el TLC el presidente declaró a ese diario de Nueva York que pediría al nuevo presidente de E.U. la "creación de un fondo de apoyo para cerrar la brecha económica entre México y E.U."

Según las declaraciones, este fondo sería "para aligerar la entrada de México en el propuesto tratado norteamericano de libre comercio".

La razón de esa solicitud presidencial es que "Ésta es la primera vez que habrá un acuerdo entre economías tan desiguales y en el que no existen los recursos financieros para dar apoyo a la economía menos desarrollada".

Aunque los diarios ocultaron la gravedad de la actitud del gobierno, resulta una tremenda desgracia que se hablara de eso días antes de la firma, después de dos largos años de discusión.

Por lo visto, nunca se habían dado cuenta de que éramos economías desiguales que no podíamos competir con ellos.

Muchas veces, en algunos diarios, dije que había que tomar más tiempo en incorporar nuestra economía a la norteamericana; que los canadienses se tomaron seis años; que los europeos se tomaron cuarenta años y que nosotros, con una prisa sospechosa, queríamos transformar toda la economía en sólo dos años.

El Presidente nos daba razón al pedir más dinero para tratar de acelerar esa transformación.

Otras veces denunciamos la desigualdad que hay entre las dos economías y se contestaba que, en el acuerdo comercial, se tomaban en cuenta las "asimetrías"; es decir, las diferencias entre nuestros países. En sus declaraciones, el Presidente confesó que no se había tomado en cuenta esas diferencias y que por eso hacía falta más dinero para ver si lográbamos emparejarnos.

Según el diario americano, ese dinero sería "para mejorar obras como infraestructura y protección ambiental", entonces era para rehacer puertos, caminos, oleoductos, autopistas, clínicas, plantas de energía; torres de transmisión, puentes, canales, en fin la base misma de la producción.

Si el presidente pide dinero para infraestructura faltando diez días para firmar el Tratado, uno tiene derecho a preguntar a los negociadores: ¿Acaso no se dieron cuenta de que no estábamos preparados?, ¿acaso no sabían que la infraestructura era deficiente?; ¿no tomaron en cuenta las desigualdades entre ambas economías?, ¿dónde quedaron las ventajas comparativas de que tanto nos hablaron?

Tal vez todo lo que nos dijeron era mentira.

Sólo así entiendo que, a una semana del matrimonio, nos demos cuenta de nuestras desgracias. Si para un hombre eso sería una negligencia irresponsable, para un gobierno es una imperdonable falta de previsión política que merece el castigo de la historia.

El día 17 de diciembre, la firma del TLC en México se hizo en un acto en Los Pinos que duró doce minutos, en el que estuvieron presentes todos los grandes de México. Ahí estaban sólo la riqueza y el poder de México, no los pobres ni los desempleados, contemplando cómo el Presidente firmaba, con una sonrisa de circunstancia, el documento que nos incorporó a la economía norteamericana y nos convirtió en "cabeza de playa" de la política norteamericana para dominar a nuestra América Latina.

Ese mismo día, el Tratado fue firmado por el presidente de los Estados Unidos, George Bush, en el edificio de la Organización de Estados Americanos, un organismo al que pertenecen todos los países del continente, desde Canadá hasta Argentina, y que está dominado por los intereses corpulentos de la Casa Blanca.

El presidente mexicano lo hizo en la residencia nacional, aquél en la residencia continental porque, para éste, el TLC es un asunto de importancia nacional y, para aquél, es parte de una estrategia continental. No significaba lo mismo para Bush que para Salinas.

En su discurso de media hora, el norteamericano se dedicó a saludar a los miembros de su propio gabinete, a felicitar a los que hicieron posible el Tratado, a la unidad continental, pero dedicó sólo cinco minutos al Tratado Norteamericano de Libre Comercio. (NAFTA, como le dicen en inglés.)

De ese discurso, mi estimable Fisgón, las frases que nos deben preocupar ...y avergonzar... son éstas:

"Es especialmente apropiado que un presidente estadounidense firme este acuerdo... en la sede de la Organización de Estados Americanos. El Acuerdo de Libre Comercio de la América del Norte representa el primer paso hacia la concretización de un sueño que desde hace tiempo ha inspirado a todos; el sueño de un hemisferio unido por la cooperación económica y la libre competencia."

Y ya con más inspiración agregó:

"Por lo que hemos iniciado hoy —que conste que lo dijo Bush— creo que pronto llegará el momento en que sea libre el comercio desde Alaska hasta Argentina... Espero y confío en que el área de libre comercio de América del Norte sea extendida a Chile y a otros valiosos socios en Centro, Sudamérica y el Caribe. El libre comercio en toda América es una idea cuya hora ha llegado."

El pueblo de México pudo haber pensado que eran frases románticas, pero detrás de esos avisos hay una historia de preparativos para una gran maniobra continental.

Para no irnos más lejos, en octubre de 1988, cuando en México protestábamos por el fraude en las elecciones presidenciales, allá en Washington, el Instituto de Economía Internacional, un organismo muy influyente en la Casa Blanca, celebró varias reuniones.

Se discutía la conveniencia para los Estados Unidos de forzar a algunos países, tomados uno por uno, a firmar acuerdos bilaterales de libre comercio, en lugar de seguir discutiendo en el seno del Acuerdo General de Aranceles y Comercio —conocido también como la Ronda de Uruguay— que agrupaba a 108 países que no cedían fácilmente a las presiones comerciales de la Casa Blanca.

Según la crónica oficial de las reuniones se dijo:

"Estados Unidos, que fue promotor de la Ronda de Uruguay, amenaza con promover pactos bilaterales o plurilaterales si no se cumplen los objetivos del GATT."

"En verdad los Estados Unidos han adoptado ya un camino bifurcado (hablando en plata se trata de un doble juego) en las negociaciones comerciales. Paralelamente a los preparativos de la Ronda de Uruguay, se han formado acuerdos bilaterales con Israel en 1985 y con Canadá en 1988."

"Al mismo tiempo, la apertura comercial informal durante Reagan, ha servido para explorar tratados bilaterales con otros países... Se estudia uno con Japón, con Taiwán, y la comunidad de naciones del Sur de Asia... Si los acuerdos del GATT no resultan eficaces, Estados Unidos ha amenazado con recurrir a los acuerdos bilaterales como un sustituto, más que como un complemento a los arreglos del GATT."

No nos engañemos solos. Están diciendo que si no son eficaces... para la política comercial americana celebrarían acuerdos bilaterales como el que nos obligaron a firmar.

En las tales conferencias participaron diputados, políticos y economistas. Es decir, eran parte de una gran estrategia de que si en el GATT encontraban muchas dificultades, negociarían separadamente con cada país porque en esa forma son po-de-ro-sí-si-mos.

Pero la cosa no paró ahí.

En noviembre de 1990, cuando en México andábamos muy ilusionados de que se firmaría un TLC que nos uniría con Canadá y E.U. "... para formar parte de un mercado de 380 millones de consumidores" según nos dijeron montones de veces; allá en Washington se celebraron audiencias públicas en el Congreso para promover la formación del Área de Libre Comercio del Hemisferio Occidental (Western Hemisphere Free Trade Area).

En esas audiencias se dijo, según la crónica oficial:

"El libre comercio hemisférico ayudaría a los intereses de los Estados Unidos... El señor Abelson sostuvo que la propuesta del libre comercio hemisférico pondría a Estados Unidos en posición de lograr ventajas económicas a medida que las economías de Latinoamérica reboten de una década desastrosa."

El discurso de Bush sólo repite lo que se dijo en el Congreso dos años antes. Nuestros negociadores nunca se dieron cuenta de que servíamos de caballo de Troya a la estrategia comercial americana.

Y también se dijo:

"El doctor Fleisher argumentó que si los acuerdos de libre comercio se expanden primero a México con sus 88 millones de habitantes y luego a otros países latinos con sus 357 millones de habitantes, los exportadores norteamericanos gozarán de un mercado significativamente mayor."

Pero aquí está más clara todavía la estrategia:

"La doctora Saborio argumentó que el TLC con México debe considerarse el corazón del propuesto Sistema Hemisférico de Libre Comercio y planteó que el TLC debería tener una cláusula de acceso, de entrada, que pudiera dar oportunidad a los países que aún no son miembros."

Hablando claro: el mentado TLC era sólo el enganche para lograr un tratado para toda América Latina. Para Salinas era la meta, para

Bush era el punto de partida. Los negociadores americanos nos hicieron creer que amaban mucho a nuestro país cuando, en verdad, nos consideraban simplemente la puerta de entrada al continente.

Los negociadores mexicanos merecen fuerte castigo. Si lo hicieron por ignorancia son culpables de negligencia; pero si lo hicieron a sabiendas, son culpables de un entreguismo muy cercano a la traición. ¿O no?

La cláusula de entrada al TLC ya está en el artículo 2204 del TLC, donde se afirma que "cualquier país", o "grupo de países", podrá incorporarse al TLC, sujetándose a los términos que sean convenidos por una comisión tripartita donde México estará solo frente a los intereses de Canadá y de los Estados Unidos.

"Cualquier país". Se dice que en 1993 entrará al TLC la República de Chile, con sus 14 millones de habitantes y su poder de venta que ha crecido un 9% anual desde hace diez años.

"Cualquier grupo de países". Los miembros de grupo Mercosur, Argentina, Brasil, Paraguay y Uruguay, firmaron (dic. 92) un acuerdo de libre comercio en un mercado con 258 millones de habitantes. Después de firmar, declararon que esperan participar muy pronto en el sistema hemisférico de comercio de los E.U. mediante el acuerdo que ya se viene discutiendo llamado "4+1", los cuatro más uno, ¿qué es?, lo adivinaste: Estados Unidos.

Más datos todavía.

La revista *U.S. News & World Report* publicó (dic. 92) claras definiciones: "El presidente Bush propuso extender el TLC de Norteamérica más allá de México y Canadá al hemisferio entero, pero ahora tocará a la administración del presidente electo el hacerlo".

"Estados Unidos no podrá resolver sus problemas económicos si ignora a Argentina, Brasil, Uruguay y Paraguay, que tienen un producto de más de 458 mil millones de dólares". (*El Financiero*, 24/XII/92).

"La próxima administración de Clinton hereda el TLC con México y Canadá... que se proyectó como la base y la clave para la expansión de similares compromisos con otras naciones en la región..." (*La Jornada*, 24/XII/92).

Allá los periodistas, los diputados, los políticos, la opinión pública sabían que el mentado TLC era sólo parte inicial de la estrategia continental norteamericana.

Aquí, el engreimiento de los negociadores, la vanidad prepotente

EL País Festeja los 10 Años de Nacionalización Bancaria de esta Manera.

del gobierno, nunca hizo caso de los que decíamos que el Tratado obedece a intereses norteamericanos.

En verdad, ¿cuáles pueden ser las consecuencias prácticas de eso?

Pues como los norteamericanos son los que tienen el dinero y nosotros tenemos el desempleo, lo que ocurrirá es que nos pondrán a pelear entre nosotros los latinoamericanos para ver quién da más facilidades a la inversión extranjera y quién vende más barata la mano de obra nacional.

Todos sabemos que los capitales se van a especular a donde encuentran mayores rendimientos y más garantías; algunos países hermanos han hecho leyes para proteger la inversión extranjera, más que la nacional; ofreciéndole exenciones de impuestos, garantizándola contra expropiaciones, permitiéndole el más libre movimiento de utilidades y protegiendo sus patentes como si fueran dogma de fe. Los banqueros estadounidenses se sentarán a ver quién da más.

También sabemos que las empresas transanacionales se establecen donde encuentran mano de obra más barata. En mi libro pongo muchos ejemplos de esa malvada inclinación. Si el salario mínimo para 1993 es de menos de cinco dólares diarios; ocurrirá que las transnacionales se irán a donde encuentren quiénes tengan más necesidad y vendan su jornada más barata. Sean los bolivianos de la llanura, los gauchos de la Pampa, los peones del Amazonas o los cafeteros de Colombia.

A pretexto de que hay que ser competitivos, nos pondrán a pelear para ver quién da más al capital, para ver quién da menos a la mano de obra. Ése es el Sistema Hemisférico de Libre Comercio que se inicia, según confesión del presidente Bush, con el TLC que lograron que el gobierno firmara. Servimos de conseguidores, de alcahuetes continentales, y a los que lo negociaron les dieron un ascenso cuando debieran haberles dado el mayor castigo. Así ocurrieron las cosas, estimado Barajas, después de terminado su libro.

Pero lo más extraordinario es que Bush nos dio la razón a los que decíamos que México debería ante todo buscar mayores relaciones económicas con América Latina y luego con los demás países.

Los empresarios y políticos muy sabiondos dijeron que eso era una ilusión; que la zona latinoamericana de libre comercio no era posible por falta de comunicaciones; que nuestro destino era formar parte del bloque comercial de E.U.; incluso un gringo dijo que tendríamos que dar la espalda a Latinoamérica.

Ahora resulta que quienes quieren el comercio con América Latina son los de la Casa Blanca. Para ellos no resulta iluso ni insensato el aumentar el comercio con nuestros hermanos. Lo han planeado y lo están llevando adelante, sólo que ahora se hará bajo los modos y condiciones que establezcan nuestros primos de allende el Bravo.

¡Qué porquería de política! Nos dijeron que ante lo imposible de comerciar con América del Sur debíamos comerciar con la Casa Blanca mediante el TLC. ¡Ahora que ya se firmó el documento, resulta que el TLC es el instrumento de la Casa Blanca para comerciar mejor con América Latina!

A ratos me desespera tanta desorientación de los mexicanos respecto al TLC. En lo personal debemos resignarnos porque cuando todo el mundo está equivocado es mala política tener razón; sin embargo, me temo que el tiempo nos va a dar la razón después de que hayamos sufrido muchas consecuencias.

Para ese entonces quedará constancia de que no todos pertenecíamos al rebaño de los aplaudidores, que tú con la sabiduría de doña Damiana; los amigos de la Red Mexicana de Acción frente al Libre Comercio; yo con mi libro *El TLC, un callejón sin salida* y muchos lectores con su respaldo y su comprensión, somos parte de una reserva espiritual que, en los momentos más difíciles, ha servido para salvar a México.

Te felicito por tu libro.

Nuestro balance de la negociación formal
sobre el Tratado de Libre Comercio

RMALC

La Red Mexicana de Acción frente al Libre Comercio (RMALC) nace en abril de 1991 ante la necesidad de espacios democráticos y autónomos que permitan el conocimiento, análisis, debate y coordinación de distintas organizaciones sociales ante la intención gubernamental de celebrar un acuerdo comercial con Estados Unidos y Canadá. El nacimiento de la Red es parte de un proceso iniciado en octubre de 1990 que ha consolidado relaciones trinacionales, generando referentes sociales similares, en la lógica de revisar experiencias, promover intercambios y encontrar intereses y posiciones comunes ante el impacto de un Tratado de Libre Comercio (TLC) más allá de este ámbito.

Los objetivos de la RMALC puden concretarse en tres puntos:

1. Pugnar porque existiera, durante el proceso de negociación oficial del TLC y aún ahora, ya terminado, información y difusión oportuna y suficiente a la sociedad.
2. Impulsar la participación de la sociedad civil, con toda su diversidad, en la formulación, debate e instrumentación de un acuerdo comercial que responda a sus intereses.
3. Promover el análisis sobre propuestas y alternativas de desarrollo económicamente viables, socialmente justas y compatibles con el medio ambiente en el contexto del proceso de integración y los desafíos de la nueva realidad mundial.

La RMALC representa la voz de una expresión de la sociedad integrada por más de cien organizaciones —sindicales, campesinas, del movimiento urbano, ecologistas, chicanas, de mujeres, de educación, de derechos humanos, organismos civiles no gubernamentales (ONG's) de apoyo al movimiento popular, cooperativas y empresas de trabajadores, micros y pequeños empresarios—, así como por algunas personalidades públicas, abogados, investigadores y académicos.

A lo largo de la negociación hemos señalado las siguientes cuestiones:

Del proceso

1. La falta de una auténtica consulta —amplia, plural y representativa— a la sociedad sobre la eventual negociación de un Acuerdo Comercial con Estados Unidos y Canadá, al no ser parte de las líneas de acción gubernamental en su Plan Nacional de Desarrollo, evitó la conformación de una estrategia que ubicara el Proyecto de Nación y permitiera enfrentar el desarrollo de las negociaciones con el apoyo popular. De hecho, la única consulta oficial realizada, en forma restringida, por el Senado para avalar el inicio de la negociación del Tratado de Libre Comercio, no recogió los planteamientos y preocupaciones de quienes participaron en ella, como se desprende de la lectura de la memoria de la misma.
2. Los estudios realizados, antes del inicio de la negociación, para evaluar el impacto de un eventual Tratado de Libre Comercio, disposición señalada por la Secretaría de Comercio y Fomento Industrial (Secofi) a las Cámaras Industriales, carecieron de un análisis

profundo de los aspectos regionales. De hecho, esta perspectiva estuvo ausente en el proceso de negociación.

3. La negociación del TLC se ha adelantado al desenlace de la Ronda de Uruguay del Acuerdo General de Aduanas y Aranceles de Comercio (GATT), constituyéndose en un elemento de presión al espíritu multilateral, más acorde con un genuino proceso globalizador de las economías, tomando posición en la conformación de bloques que busca preservar liderazgos hegemónicos.

4. La información pública sobre la negociación, incluyendo a los que formaron parte de la misma en el llamado "cuarto de al lado", fue deficiente como puede constatarse a través de los testimonios recogidos por los medios masivos de comunicación a lo largo del proceso.

5. La representatividad de los miembros del llamado Consejo Asesor para la negociación del TLC fue otorgada por el gobierno y no por la sociedad. La forma de pretender el involucramiento de las organizaciones sociales desde las cúpulas obedece más a esquemas corporativos, que sólo legitiman políticas antipopulares, que a métodos más modernos comprometidos con un proceso de apertura y transición democrática.

6. El procedimiento usado para la negociación fue, por tanto, excluyente y la dinámica de la misma no permitió la participación directa de los diversos sectores sociales.
7. El Acuerdo de Libre Comercio entre Estados Unidos y Canadá tardó cuatro años en concretarse a pesar de que las desigualdades no eran tan contrastantes. Sin embargo, en esta ocasión, en una negociación más compleja y asimétrica la negociación formal ha llevado poco menos de quince meses.
   Los tiempos que han regulado la negociación han estado plegados al interés —particularmente político-electoral— del gobierno conservador de Estados Unidos, por cierto, sin mucho éxito.
8. Hemos insistido en la necesidad de involucrar a la Cámara de Diputados en la aprobación del Acuerdo Trinacional de Libre Comercio debido a que consideramos que es constitucionalmente legítimo; asimismo, hemos propuesto la necesidad de un verdadero debate en la sociedad sobre el Tratado, tanto para favorecer su conocimiento y clarificar sus impactos, sobre todo ahora que se conoce el texto final, como para convertirlo en un auténtico referéndum popular.
9. Reconocemos que los planteamientos de la Red abrieron la posibilidad de un diálogo con las autoridades responsables de la negociación del TLC, que si bien no alcanzó a recoger nuestras propuestas, sirve para construir nuevas relaciones entre el Estado y las organizaciones sociales en la idea de que siente bases para considerar las alternativas sociales aún ahora, a fin de que el intercambio comercial realmente sea un instrumento de desarrollo.

La negociación

1. La terminación de la parte técnica de la negociación del TLC, que culminó con el texto del mismo, permite conocer quiénes fueron los ganadores del Acuerdo: La gran empresa transnacional, particularmente la automotriz estadounidense.
   El Tratado de Libre Comercio, más que libre protege los intereses de la gran industria exportadora en la lógica de la conformación de bloques comerciales; es decir, está diseñado para enfrentar la competencia europea y asiática, pero descuida la cobertura a la pequeña y mediana empresa ante las empresas grandes.

Las Reglas de Origen y la Propiedad Intelectual son capítulos que muestran el nivel de proteccionismo que obtuvo la empresa transnacional.

El Tratado de Libre Comercio podrá abrirse y cerrarse de acuerdo con el interés de Estados Unidos.

2. El Tratado de Libre Comercio tampoco es básicamente de comercio sino más bien, en el caso de México, es fundamentalmente de inversiones, o sea, busca la atracción de capitales a fin de consolidar el proyecto económico y gubernamental. El promedio de nuestros aranceles es de 10% y en Estados Unidos son menores al 8%; más de las tres cuartas partes de nuestro comercio ya es con nuestros vecinos del norte. Si bien el Tratado podrá permitir mejor acceso al mercado estadounidense y canadiense y estimulará el comercio de bienes y servicios un poco más, habría que observar que tenemos una balanza comercial deficitaria ante Estados Unidos y no precisamente por modernización de la industria sino por la creciente compra de insumos —materias primas— que tiene en crisis a la pequeña y mediana empresa, tradicionalmente abastecedora del mercado interno, que ha sido desplazada por las importaciones que tienden a aumentar.

    Este incremento tiene que ver más con una estrategia transnacional que con una situación de coyuntura.

3. El reconocimiento a las asimetrías en la negociación es insuficiente. Los representantes mexicanos han centrado la superación de las desigualdades económicas a través de plazos para la apertura en algunas industrias y la consolidación del Sistema General de Preferencias (SGP).

    El logro ha sido magro y de hecho el Tratado no contiene mecanismos compensatorios que permitan la modernización de la industria mexicana, la creación de colchones y programas sociales que faciliten el ajuste productivo provocado por el modelo exportador y garanticen la transferencia de tecnología adecuada en forma asequible.

4. En el transcurso de la negociación del TLC el pueblo de México ha sido testigo de la falta de voluntad política por parte del gobierno de E.U. para cumplir acuerdos internacionales —como los de extradición— y con las reglas del comercio que rigen en el mundo; haciéndonos también, extensivas sus leyes —caso atún-delfín, la

Ley Torriccelli, etc. — o imponiéndonos barreras no arancelarias a nuestros productos. Asimismo, hemos visto afectada nuestra política exterior, donde el Tratado de Libre Comercio, aún antes de entrar en vigor, empieza a jugar en el alineamiento de posiciones que corresponden a nuestra soberanía. El gobierno ha relativizado estos hechos con el argumento de no "contaminar" la negociación del TLC queriendo negar la realidad que nos espera.

Las recientes sanciones comerciales de Estados Unidos no a un país, sino a la Comunidad Económica Europea, no nos excluye de que en el futuro las consecuencias de las disputas comerciales no sólo afecten en Estados Unidos, sino también en nuestro país como parte de un bloque. Nuestras políticas económicas estarán subordinadas a la estrategia norteamericana y no de México, como país. Y nuestra política exterior perderá autonomía y neutralidad tal y como lo señaló el embajador estadounidense en México.

5. El Tratado de Libre Comercio ha afectado nuestra capacidad de autodeterminación y ha modificado la Constitución; formalmente, con la reforma al artículo 27 en relación con la nueva situación del

campo frente a la inversión extranjera y la afectación virtual a las formas organizativas para la producción en el mismo.

Sin duda, un cambio para hacer producir el campo era necesario. Pero se ha aprovechado la coyuntura del TLC para hacer las transformaciones en el marco que éste las demandaba. Existen declaraciones previas de funcionarios, como la del subsecretario de la SARH, que indican el requerimiento de la negociación del TLC en tal sentido. El TLC definió el tipo de reforma. En ningún plan de gobierno, previo a la negociación del TLC, existe intención de modificar el artículo 27 constitucional.

Asimismo, diversas condiciones —ya aceptadas en la negociación— en materia de energéticos, compras gubernamentales e inversión extranjera, así como en lo referente a "trato nacional" —a inversiones, mercancías y empresas de Estados Unidos y Canadá— violentan el espíritu de la Constitución y permiten observar, *a priori*, la orientación que tendrá el ajuste del marco jurídico para dar viabilidad al TLC, sin considerar la soberanía del Poder Legislativo. El Estado tendrá con el TLC severas restricciones para regular la economía, aun en actividades reservadas —porque pueden ser consideradas prácticas desleales— y los programas de fomento a la industria nacional y los de carácter social sólo podrán ser concebidos en los plazos y términos del TLC.

6. Uno de los propósitos de la negociación era eliminar barreras no arancelarias a nuestras exportaciones a Estados Unidos. Es un logro de la negociación la conformación de una Comisión Técnica al respecto, pero estas barreras no serán eliminadas en su totalidad, porque tienen que ver con leyes estatales y en Estados Unidos y Canadá los estados tienen verdadera autonomía. Pero, además la creación de estándares para proteger a los consumidores y el ambiente, así como regulaciones y medidas que defiendan a sectores económicos afectados por la apertura comercial, son parte de los compromisos asumidos por el nuevo gobierno electo en Estados Unidos.

En México nuestra cultura centralizadora no permite una real independencia de los estados para generar legislaciones que protejan sus recursos y a sus sectores productivos. Pero además, mientras que en nuestro país el TLC será Ley Suprema, al mismo nivel de nuestra Constitución en Estados Unidos no estará el TLC por en-

cima de las legislaciones estatales o de otras secundarias de carácter federal.

Asimismo, la Comisión de Medidas Relativas a la Normalización no incluye como algo sustantivo y permanente en sus funciones aspectos relacionados al medio ambiente, la capacitación y la evaluación de riesgos. De hecho, tampoco indican las disposiciones, en este capítulo, una genuina voluntad de armonizar estándares de producción y consumo hacia los niveles más altos de la zona.

Las barreras no arancelarias son efectivas para regular las exportaciones y las importaciones más allá del Libre Comercio. La reciente aplicación de la Norma Oficial Mexicana (NOM) para frenar importaciones habla del manejo discrecional con que puede aplicarse una ley en México. Pero también evidencian la presión estadounidense para prorrogar su aplicación e impedir el freno de sus exportaciones a nuestro país, mostrando nuestra vulnerabilidad comercial. ¿Podremos presionar en el marco del TLC, con la misma eficacia, a Estados Unidos cuando aplique barreras no arancelarias? La posibilidad de participación de los organismos no gubernamentales, que explicita este capítulo, es también un avance que puede frustrarse si no existen criterios y mecanismos claros y democráticos para su selección, convirtiéndolo en otro instrumento más de control.

7. Los que pueden ser los grandes mitos del TLC son su posibilidad de contribución en materia de empleos y salarios. El crecimiento de la industria exportadora, principalmente de manufacturas y productos agrícolas, incluyendo la maquila, de acuerdo con diversos estudios, tiene límites en la generación de empleos que no alcanzan a cubrir el desplazamiento de trabajadores en otras áreas. Tal es el caso de las pequeñas y medianas industrias, así como de campesinos que se verán expulsados de la actividad agropecuaria a fin de permitir su modernización y aumentar la productividad. Esto sin incluir la demanda anual de empleo, superior a un millón, los desempleados y subempleados existentes.

Por otro lado, el privilegiar actividades, en el TLC, que favorezcan el uso de mano de obra intensiva y barata, como estrategia generadora de empleo, permitirá consolidar como ventaja comparativa este recurso esencial. Si bien al crecer la economía puede crecer el

salario, en realidad el problema en México es principalmente de distribución del ingreso, de un mejor reparto de la riqueza a fin de garantizar verdaderamente la recuperación del poder adquisitivo. Esto es justicia social. En los últimos años, la economía ha crecido y los trabajadores, la gente común, no han sentido en su bolsillo la recuperación. Con TLC o sin TLC, lo que hace falta son mecanismos redistribuidores de los beneficios de la productividad, porque de lo contrario, los trabajadores y sus salarios seguirán siendo los grandes perdedores. En países donde la inflación es más alta que en México, la pérdida del poder adquisitivo ha sido menor.

8. Por lo que respecta al sector agropecuario, se ha desaprovechado en el TLC la oportunidad de garantizar una política que permita la seguridad alimentaria del país y el uso más racional y sustentable de nuestros recursos nacionales.

Contra la demanda social de no incluir granos básicos, lácteos, bosques y aves en la negociación se ha accedido a los propósitos estadounidenses, condicionando, en cambio y también en nuestra contra, la entrada al mercado del Norte de productos mexicanos con adecuada capacidad exportadora. En el campo se ha renunciado a la generación de tecnología propia y a una estrategia alimentaria, que incluso países como Japón —con escaso territorio agrícola— y todos los del primer mundo, ya que queremos ser como ellos, tratan de mantener hasta con subsidios muy por encima de los recursos económicos que hoy se destinan al campo mexicano.

9. En la industria textil se han eliminado las cuotas a los productos mexicanos en Estados Unidos; sin embargo, existen mercados acaparados por bienes asiáticos que aún la protección de las reglas de origen del TLC no alcanzarán a desplazar cabalmente si el precio de los productos mexicanos no es más atractivo.

Ello lleva a reconocer en nuestro país una industria textil ampliamente afectada por la apertura, con grandes rezagos tecnológicos y buscando su competitividad a través de afectar aún más las condiciones laborales, ya de por sí precarias, a pesar de existir Contratos Ley.

El TLC no garantiza el acceso tecnológico para la modernización de la planta productiva. En la industria textil las reglas de origen favorecen a los grandes empresarios estadounidenses y canadienses que al obtener trato nacional mantendrán su ventaja competitiva

tecnológica ante el industrial mexicano. La gran empresa exportadora de insumos y las maquiladoras —que ahora serán la característica de la industria— se convertirán en el mejor de los casos, en los beneficiados de México, en esta rama.

Los pequeños y medianos productores de ropa sólo tendrán, formalmente, en el TLC un respiro temporal ante la ropa usada de importación, que normalmente ingresa de contrabando, y forma parte del consumo habitual de los habitantes de la zona fronteriza.

10. La eliminación de contenido nacional en las reglas de origen de la industria automotriz, modificará la estrategia de provisionamiento de la misma, en perjuicio del sector de autopartes, en su mayoría pequeña y mediana empresa; situación agudizada ante la aceptación de balanzas comerciales deficitarias. Ése no es comercio para crecer no es comercio que reconozca asimetrías, sino la subordinación de la estrategia de desarrollo nacional al interés de las grandes corporaciones.

No obstante, debe reconocerse que el empleo tiene perspectivas reales de crecimiento en esta industria, a pesar de los ajustes que sufrirá. Se ha tenido que pagar un alto costo por ello.

11. En materia de servicios se ha privilegiado para México las actividades de uso de mano de obra intensiva y barata y se ha reservado las actividades de uso tecnológico complejo para las empresas de nuestros vecinos del Norte. Ésta es parte de la mera división del trabajo que nos ofrece el TLC.

    Ésta es un área que demuestra al tipo de empleo que el TLC puede ofrecer a las expectativas de mejoría salarial, capacitación, calificación y bienestar de los trabajadores mexicanos.

12. Lo que no se logró en actividades como las agropecuarias y las energéticas, se obtuvo en telecomunicaciones: No se tocó la industria de radio y televisión ni la red de telefonía básica como tampoco la operación y establecimiento de las redes y servicios públicos. Se va a permitir monopolios en la prestación de estos servicios. Sin embargo, los que tienen alto valor agregado fueron incluidos para abrirse en plazos relativamente cortos que tendrán sensible impacto en la capacidad reguladora del Estado en esta área estratégica. Pero a cambio tiene también perspectivas de crecimiento en el empleo. ¿Vale la pena el costo?

13. En los servicios financieros se optó por el criterio de dar trato nacional a los inversionistas, en lugar de usar un criterio de concesiones equivalentes. En dicho sector las leyes norteamericanas, en las que eventualmente operarían los inversionistas mexicanos, son anacrónicas y proteccionistas, no permitiendo lo que sí les permitiremos en México: integración en grupos financieros que puedan operar como banca múltiple; es decir, en todos los servicios financieros, regidos bajo una sola ley, mientras que del otro lado sólo se podrá operar en servicios específicos y con diferentes regulaciones de carácter estatal y federal.

14. A la inversión extranjera no sólo se plantea darle trato nacional sino que en los requisitos de desempeño se renuncia a exigirle condiciones a la misma, como es el caso de transferencia tecnológica; de reinversión, al menos parcial de las ganancias; balanza comercial equilibrada; dar preferencia a insumos producidos en el país o incluir un porcentaje de contenido nacional; la preservación del ambiente. Independientemente de que no se prioriza la de carácter productivo. Todos estos elementos contribuirían a aminorar las asi-

metrías y a apoyar el desarrollo nacional. Las inversiones ya no van a jugar el papel de complemento a la solución de prioridades nacionales sino que servirán a la estrategia transnacional a la que habremos de sumarnos sin posibilidad de regular el rumbo. La disputa por los flujos de inversión lleva a poner en riesgo nuestra viabilidad como nación.

15. La apertura inmediata de nuestras fronteras a los bienes de capital contribuirá a la desaparición de la industria nacional de esta rama, cuyo desarrollo fue el resultado del modelo económico instrumentado durante 50 años en el país para generar tecnología. De esta forma se echará por la borda la infraestructura tecnológica que se logró alcanzar, sustituyéndola por la foránea y renunciando prácticamente a la posibilidad de consolidar y fomentar tecnología propia.

16. El capítulo de compras gubernamentales abre a la competencia o concurso internacional la adquisición de insumos y los contratos de construcción y servicios de las empresas e instituciones del Estado, afectando a la pequeña y mediana empresa nacional que se había desarrollado alrededor de la inversión pública, que era una formidable palanca para la industria. Si bien es correcto comprar insumos de mejor calidad y más baratos, no es concebible el que no se pueda dar preferencia, en condiciones similares, a la producción nacional. El Estado no puede guiarse por criterios puramente comerciales, ya que debe asumir su rol como rector de la economía. Hay industrias que viven exclusivamente de las ventas al sector público; los efectos, por graduales que sean, serán catastróficos en términos de empleo. Además vía los "contratos de desempeño", las compañías extranjeras pueden cotizar barato para ganar los concursos para adquisición de bienes y servicios, sabiendo que por su tecnología tendrán también la posibilidad de conseguir pagos adicionales.
A la apertura de nuestro mercado no correponden con reciprocidad Estados Unidos y Canadá, cuyas compras gubernamentales de mayor uso específico siguen estando sujetas a las reservas negociadas en el Acuerdo Comercial entre Estados Unidos y Canadá. De cualquier forma la industria nacional aún carece de competitividad para participar en los concursos que serán celebrados en esos países.

17. El "trato nacional", que atraviesa todo el TLC, se pretende justificar como un trato no discriminatorio; sin embargo, se podría hablar

de discriminación cuando se da entre iguales y si bien ésta podría ser una característica en contados rubros de la economía nacional, es evidente que no es la regla general. Frente a empresas e inversionistas mucho más poderosos debió haberse buscado un trato diferenciado y mecanismos que compensaran las desigualdades, como hemos señalado, más allá de plazos de apertura, ya que no es la única condición de desventaja.

18. En lo referente a propiedad intelectual se ha privilegiado la protección a las grandes corporaciones dificultando aún más la transferencia de tecnología indispensable para aminorar las asimetrías. El gobierno mexicano ha renunciado al propósito de excluir la patentabilidad para material y procesos genéticos en general y de invenciones relacionadas con materia viva y el cuerpo humano. Asimismo, lo acordado en el TLC dificultará la producción del cuadro básico de medicinas sin marca, que permitía producirlas a bajos costos para el sector social de la salud. Asimismo, se ha olvidado el derecho de las comunidades sobre plantas, base de muchas medicinas industrializadas y el conocimiento tradicional sobre su uso

medicinal. Este capítulo es también reflejo de la protección que han exigido las empresas transnacionales para garantizar el control tecnológico. Hoy en día la propiedad intelectual es uno de los servicios que aumenta su presencia en el contexto del comercio internacional. Para Estados Unidos las patentes, marcas y franquicias son hoy un importante porcentaje de su intercambio comercial.

19. En lo que se refiere a energéticos es preocupante el contenido en materia de electricidad. Al hablar del fundamento legal en el TLC no se remite al artículo 27 constitucional sino sólo al 25 y 28 de nuestra Carta Magna. Ello es de suma importancia debido a que el artículo 27 no sólo habla de las actividades estratégicas sino de actividades exclusivas y no concesionables. Ahora en el TLC se abren posibilidades a la inversión privada no sólo para la creación de plantas para el autoabastecimiento, sino que también se permite la cogeneración de electricidad, es decir, producir electricidad como subproceso de otro proceso industrial dando viabilidad a su comercialización. Es claro que la inversión que puede permitirse el TLC en electricidad no se hará con estricto apego a la Constitución y a nuestras leyes.

Al analizar lo relacionado con el petróleo y sus derivados se constata que no se cumplió la promesa presidencial de no incluir este tema en la negociación, sino que el gobierno ha convertido este recurso estratégico en una mercancía donde difícilmente los mexicanos podremos volver a tener control en materia de precios, producción y distribución.

Se ha evitado la cláusula de abasto seguro que ha condenado a Canadá a surtir de petróleo el mercado de Estados Unidos, sin embargo, existe, en el caso del GATT, la obligación de mantener el abasto con algunas modalidades, aun en casos de baja en el suministro doméstico. Obviamente las consideraciones sobre este recurso son más de carácter estratégico; al alinear nuestra política exterior al bloque norteamericano, en caso de crisis en Estados Unidos, tendremos que responder solidariamente aumentando nuestra capacidad de producción tal y como sucedió, sin TLC, cuando la guerra del Golfo Pérsico.

En materia de petroquímica se ha modificado la clasificación de los productos considerados básicos de manera arbitraria y confusa, pero liberando casi en su totalidad el sector, con objeto de facilitar

la inversión extranjera en esta área. La acción del gobierno estará restringida para apoyar a empresarios nacionales con programas de desarrollo a ciertos productos petroquímicos bajo el riesgo de incurrir en prácticas desleales desde la lógica de Estados Unidos. En caso de hacerlo como empresa del Estado, estará sujeta a sanción bajo la Ley antimonopolios de dicho país.

20. Por todo lo anterior, la RMALC reitera que el TLC está diseñado y concebido para la élite financiera e industrial del país y la gran empresa transnacional. Es decir, la empresa exportadora.

La pequeña y mediana industria deberán adecuarse a las nuevas exigencias de la apertura y el mercado a riesgo de desaparecer. El TLC carece de políticas que faciliten la modernización y readecuación de las mismas, reconociendo su rol en el comercio doméstico.

Asimismo, no se vislumbran acuerdos gubernamentales que cubran esta deficiencia y destinen flujos de capital sensible —entre ellos, derivados de reducciones de deuda externa o de fondos de fomento facilitados por nuestros vecinos del Norte— que reconozcan asimetrías y la necesidad de estímulo de estos sectores, que no necesariamente deben cubrir demandas del mercado externo.

El empleo y el salario no se recuperarán si no se establecen programas gubernamentales que generen "colchones sociales", como el seguro del desempleo y la capacitación que permita reinsertar a trabajadores desplazados por el ajuste en la actividad productiva. De lo contrario, la perspectiva es no sólo de mayores contrastes entre ricos y pobres sino también de incremento en la migración, crecimiento del subempleo y el empleo informal.

La justa distribución de la riqueza y la generación de bienestar

siguen siendo una responsabilidad del Estado, con o sin TLC. Este Tratado puede significar un mayor deterioro de las condiciones ambientales en nuestro país, si el modelo económico se profundiza, así como la frustración de la unidad latinoamericana si no se sustenta en bases que realmente propicien el desarrollo, contribuyendo a superar asimetrías.

Cualquier Tratado de Libre Comercio, como requisito esencial para su viabilidad, debe contar con la participación social amplia y plural no sólo en su planificación sino también en su ejecución, por ello es imprescindible contar con organizaciones sociales representativas, comprometidas con la productividad y el desarrollo sustentable y en general con una sociedad protagónica que sobre la base del consenso, fortalezcan la acción del gobierno en su política externa y en su gestión interna.

Nuestra propuesta

Desde el punto de vista de la RMALC la apertura y el significado del TLC no representa por si mismo un crecimiento estable y sostenido ni la creación de nuevos empleos más productivos y mejor remunerados. Más bien la realidad permite observar un escenario contrastante.

No nos oponemos al intercambio comercial, siempre y cuando sea en términos justos que consideren las enormes desigualdades económicas entre México, Estados Unidos y Canadá, pero entendemos que el crecimiento económico no resuelve las grandes carencias económicas y sociales de nuestro pueblo, porque nuestra sociedad carece de instituciones y leyes consensadas democráticamente y orientadas a alcanzar un reparto justo de la riqueza generada para elevar efectivamente el bienestar popular.

Es por eso que afirmamos que el TLC no responde a los intereses populares, que ha sido un acuerdo entre gobiernos neoliberales en lo económico y conservadores en lo político.

Concebimos el comercio no como un elemento esencial del crecimiento, sino como una parte de una estrategia de desarrollo que debe considerar, en primera instancia los intereses populares; es decir, priorizar la efectiva promoción del empleo, el salario, la educación, la salud, y la seguridad social; la democracia, los derechos humanos y la preservación del medio ambiente. Estamos por tanto, por un Acuerdo Comercial que privilegie la rentabilidad social sobre la económica en concordancia con un verdadero pacto para el desarrollo.

Es una visión integral y de complementariedad económica que presupone el establecimiento de reglas de comercio justo que modifiquen el actual esquema de intercambio desigual entre países desarrollados y subdesarrollados y que busque preservar la autodeterminación de los pueblos. Esa transformación de las relaciones económicas vigentes, debe darse a través de instancias multilaterales, que en forma democrática determinen los cambios necesarios.

En diversas ocasiones hemos expuesto nuestras alternativas y paradójicamente, hoy más que nunca, nos encontramos en un momento adecuado para incorporar las demandas ciudadanas, porque a pesar de que ha concluido la fase de negociaciones ministeriales, el esfuerzo y las expectativas de los movimientos sociales, en los tres países, han modificado el panorama que prevalecía hasta hace unas semanas.

Creemos que es el momento de reflexionar y reconsiderar cuáles son los resultados de la negociación, así como los impactos que tendrán para nuestro país y si es necesario, corregir oportunamente los aspectos que lesionen los intereses nacionales, por lo cual, nuestro planteamiento alternativo contiene los siguientes puntos:

1. Al conformarse la Comisión de Comercio de América del Norte, permitir modalidades para que en el ámbito nacional exista la posibilidad de participación social —amplia, plural y democrática—, incluyendo a organismos como la RMALC, considerando aspectos que tienen que ver con la armonización de normas y estándares, la migración, los aspectos ambientales y laborales, coordinados por la representación mexicana ante esta Comisión.

2. La participación social podría darse a través de una Comisión del Medio Ambiente —representada democráticamente— para la supervisión de los estudios de impacto ambiental que ya dispone nuestra ley en la materia, así como del cumplimiento de convenios y regulaciones en lo que se refiere a la distribución —tráfico y depósito— y tratamiento de los desechos tóxicos. Asimismo, participación de los organismos civiles no gubernamentales en un Plan Nacional Ambiental, es decir que vaya más allá de la frontera.

3. Prohibición explícita en México de agroquímicos, plaguicidas e, in-

cluso, medicamentos prohibidos o no clasificados en los países con los que promovemos el intercambio comercial.

4. Creación de un Fondo para Proyectos Ambientales que permita rehabilitar productivamente zonas y recursos afectados por la irracionalidad comercial, como son nuestros bosques y selvas, ríos, lagos y mares, así como enfrentar el modelo industrial y urbano que presenta la maquila.

5. Creación de un Fondo para el Desarrollo que garantice el acceso a tecnología adecuada para el país, compatible con el medio ambiente y que favorezca el desarrollo de los pequeños y medianos empresarios; así como el apoyo de recursos financieros —con créditos blandos, suficientes y oportunos— que permita solventar las necesidades de los empresarios para su modernización.

6. La formación de una Comisión del Trabajo, integrada por organizaciones sociales de manera democrática, con el propósito de participar

en la elaboración e instrumentación de programas de recuperación salarial —valorando la productividad por regiones e industrias—, capacitación y becas a trabajadores.

Esta Comisión sería considerada en los informes y compromisos emanados de los memoranda de entendimiento firmados con Estados Unidos y Canadá, respectivamente, así como en las políticas comerciales que se relacionen con el ámbito laboral.

7. Insistimos en la creación de un Seguro del Desempleo temporal que amortigüe el proceso de ajuste industrial.

8. La institucionalización de una Carta de Derechos Laborales y Sindicales que reconozca las asimetrías entre naciones, pero también las desigualdades económicas en el seno de las mismas, comprometiendo el respeto de los gobiernos a los derechos y conquistas de sus trabajadores.

   Tal es el caso de la libertad sindical, la contratación colectiva y la bilateralidad, el derecho de huelga, la garantía de derechos sociales mínimos y de mecanismos de cumplimiento y participación de las organizaciones sociales en forma plural y democrática en la vigilancia e instrumentación de dicha Carta.

9. Un Acuerdo marco para el trabajo migratorio que reconozca la importancia social y económica del mismo e implique el respeto a sus derechos como ser humano y trabajador.

10. La creación de un mecanismo social trinacional que garantice el cumplimiento de los derechos humanos con base en la declaración universal existente.

11. El establecimiento de un código de conducta para las compañías transnacionales que evite prácticas monopólicas y violaciones a las leyes nacionales vigentes.

Nuestras propuestas no son exhaustivas, son sólo ideas que pretenden incluir distintas expresiones de la sociedad civil en decisiones que afectan el destino de México.

La alternativa que plantea la RMALC sienta las bases para un concepto distinto de lo que debe ser un Tratado Comercial donde los propósitos de soberanía y bienestar social son el eje articulador en la construcción del México para el siglo XXI.

Noviembre de 1992

Iniciativa continental de desarrollo y comercio

Cuauhtémoc Cárdenas

Enfrentamos un reto con el que ninguna otra generación de estadounidenses, mexicanos o canadienses se ha encontrado: preparar el futuro
creando un marco de auténtica cooperación continental. Si tenemos
éxito y establecemos un mecanismo para compartir con equidad nuestros respectivos talentos y recursos, nuestras economías se fortalecerán
y nuestros pueblos vivirán mejor, no a expensas de la riqueza del vecino,
sino gracias a la prosperidad de todos. Sin embargo, no debemos en-
gañarnos con falsas ilusiones o autocomplacencias: esa prosperidad
compatible y equitativa no llegará automáticamente.

Para tener una nueva relación y hacer las cosas correctamente, los
mexicanos y los norteamericanos en particular, debemos reconocer que
las premisas existentes para nuestra integración económica no son las
necesarias para construir una nueva relación, viable y justa. La explo-

tación de mano de obra barata, energía y materias primas, la dependencia tecnológica y la débil protección ecológica, no debieran ser los puntos de partida sobre los que México estableciera sus ligas con Estados Unidos, Canadá y la economía mundial.

No podríamos estar satisfechos con el tipo de futuro que surgiera de la simple liberalización económica, que sólo extrapolaría las tendencias actuales y agudizaría las fallas. En vez de ello, debemos actuar con visión, tratando de asomarnos y yendo al encuentro del futuro, no simplemente esperándolo. Seamos responsables y prudentes: no cualquier clase de comercio constituye un intercambio mutuamente ventajoso; no cualquier tipo de inversión va a transformar nuestras bases productivas y crear los empleos y los ingresos que queremos para nuestra gente; no cualquier industria va a optimizar el uso de nuestros recursos y proteger nuestro ambiente; no cualquier negocio es una empresa responsable. La liberalización económica no es nuestro objetivo, es sólo una de nuestras herramientas. El desarrollo, la justicia social y un ambiente limpio son nuestros objetivos.

Estamos en favor de un amplio pacto continental de comercio y

desarrollo que considere de entrada, el libre comercio entre México, Estados Unidos y Canadá, y que corresponda, al mismo tiempo, al interés del desarrollo de México y no afecte las normas de bienestar de Estados Unidos o de Canadá.

Sabemos que hay quienes consideran que cualquier acuerdo es mejor a que no haya acuerdo; que para México, cualquier acceso al mercado norteamericano es base suficiente para aceptar indiscriminadamente las demandas estadounidenses, ya que ese acceso es condición tanto necesaria como suficiente para el desarrollo de México. Rechazamos esa posición. El comercio, insistimos, debe ser un instrumento del desarrollo, no un fin en sí mismo.

La inercia de tendencias del pasado y actuales, así como los errores cometidos en la instrumentación de nuestras estrategias de desarrollo —falta de visión, ausencia de toda credibilidad democrática, corrupción, mala administración y demagogia— han dejado al país sin resolver, en buena medida, sus problemas sociales seculares. El régimen de partido de estado y un desarrollo distorsionado han producido atrasos sociales y la atrofia del estado, y crearon también empresas y mercados igualmente distorsionados. Hasta ahora, la privatización y liberalización de la economía mexicana, no han traído consigo un impulso económico autosostenido, ni mejorado la iniciativa empresarial o la innovación tecnológica nacional, tampoco han propiciado mercados más libres o más competencia, sino que han logrado, más bien, mayor concentración de la riqueza en unos cuantos y una dependencia más profunda del capital y la creatividad extranjeros.

Queremos que los mercados mexicanos funcionen, estamos en favor de una mayor y más equitativa competencia dentro de México y entre México y el resto del mundo y sabemos que esto no puede lograrse por el simple hecho de privatizar los monopolios estatales. Es necesario alentar el crecimiento de una clase empresarial progresista, moderna y vigorosa que México nunca ha desarrollado. Una gran parte del sector privado nacional tendrá que aprender a sostenerse por sí mismo y a obtener sus beneficios de su iniciativa y competitividad, y no ya de compartir la corrupción con altos funcionarios del gobierno.

El desarrollo debe traducirse en el surgimiento de economías de escala; firmas grandes donde la producción y la comercialización lo requieran y empresas medianas y pequeñas regadas por todo el país. La preservación del núcleo de la capacidad reguladora del estado mexicano no debiera ser una cuestión a negociar. Es necesario instrumentar una estrategia nacional de desarrollo, superar el atraso social y transformar el sistema económico en su conjunto.

Es absolutamente inadmisible que, en la división internacional del trabajo entre los tres países, se asigne a México el papel de suministrador permanente de mano de obra barata. Elevar los niveles salariales y las condiciones de trabajo en la dirección general de los usuales en Estados Unidos o Canadá, en lugar de sistemáticamente reducir nuestros salarios e ingresos para atraer a inversionistas renuentes, es una razón principal para buscar nuevas formas de integración económica.

Sabemos que el reto de hoy es convertir el combate contra la pobreza en un verdadero esfuerzo económico, mediante el cual la riqueza no sólo se distribuya sino que se genere por el esfuerzo mismo de erradicar la miseria. Para hacer eso sabemos también que no debiéramos confundir la inversión productiva con la inversión social, y no pedir a una lo que sólo la otra puede dar.

El desarrollo no es solamente el asunto de desarrollar países. Hoy está claro para todos, pero sobre todo para los norteamericanos, que no pueden aislarse de la miseria, las carencias, la injusticia y la degradación ambiental de sus vecinos. Si el norte no adopta de nuevo un ideal humanista de desarrollo, la cooperación internacional se verá obstaculizada por la contaminación, el deterioro urbano, el crimen, el consumo de drogas y la intolerancia. Y la responsabilidad de resolver estos problemas vinculados entre sí no es únicamente del mercado.

Lo que también debemos encontrar es cómo hacer que el proceso de desarrollo sea compatible tanto para los millones de mexicanos empobrecidos como para los intereses y el bienestar de norteamericanos y canadienses. El núcleo de un pacto para el desarrollo debe ser la creación de empleos bien remunerados en México y el incremento de la productividad del trabajo en los tres países.

Falsos profetas del determinismo económico dicen que no tenemos otra opción, sino enrolarnos en un bloque internacional determinado. Sin embargo, hay una cosa respecto a la cual los países como México no tienen otra opción: redistribuir el ingreso y promover el desarrollo social concibiendo nuevas estrategias en consonancia con la economía mundial. No podemos aceptar el orden actual sin tratar de negociar las mejores condiciones posibles para nuestra gradual integración internacional. El pacto continental de comercio y desarrollo que proponemos ofrece una oportunidad para realizar un nuevo diálogo norte-sur, no ya más con el solo propósito de redactar declaraciones, sino para firmar pactos económicos y compartir compromisos de desarrollo reales. Lo que queremos crear no son bloques defensivos o clubes exclusivos, sino un nuevo sistema de cooperación entre países desarrollados y en desarrollo.

El reciente tropiezo de la Ronda de Uruguay del GATT ha estimulado a los sostenedores del bilateralismo en las relaciones comerciales. No debiéramos caer en esa tentación. Rechazamos la noción de que el Tratado de Libre Comercio (TLC) entre Estados Unidos, Canadá y México sea el primer paso de una serie de tratados bilaterales de libre comercio entre Estados Unidos y sus vecinos latinoamericanos. La verdadera dimensión hemisférica de un pacto continental debe basarse en el principio del multilateralismo. Si México, Estados Unidos y Canadá son capaces de moldear sus respectivos objetivos de desarrollo en un entendimiento que no tenga precedentes, ese consenso debiera tornarse en el centro de un nuevo proceso alternativo de negociaciones mul-

tilaterales para la integración hemisférica. El Caribe y Centroamérica podrían incorporarse primero, seguidos después por las naciones andinas y del cono sur de Sudamérica, que podrían simultáneamente avanzar en sus proyectos regionales de integración económica.

El logro de esta y otras metas es un reto a nuestra habilidad para ir un paso adelante de nuestro tiempo. Lo que necesitamos no es un tratado de libre comercio rígido, que reproduzca el poco satisfactorio modelo de TLC ya suscrito por Estados Unidos con Canadá; ni tampoco podemos seguir un modelo convencional de mercado común. Si la inclusión de Canadá en las pláticas significa que México va a ser simplemente un firmante más del TLC entre Canadá y Estados Unidos, con pocos ajustes y modificaciones, en ese caso, nos opondremos enérgicamente a ese acuerdo. Los pactos existentes constituyen sólo referencias vagas para lo que realmente necesitamos. En el caso de México, Estados Unidos y Canadá, enfrentamos un intento sin precedentes para alcanzar acuerdo entre tres economías agudamente diferentes.

Proponemos una negociación ambiciosa con base en un planteamiento coherente, integrado, global, que conduzca a un pacto de libre comercio y desarrollo amplio, visualizado a largo plazo y de alcances continentales. El TLC propuesto, que hoy está sobre la mesa, aun cuando no tiene la amplitud del que proponemos, no es en sentido estricto un trato de comercio. Incluye la agenda norteamericana ligada al comercio —inversión, servicios, propiedad intelectual, energía—, pero deja afuera la agenda mexicana vinculada al comercio —inversión compensatoria, movilidad laboral, ecología, un compromiso social.

El tratado alternativo que proponemos consta de cinco paquetes de negociación claramente definidos: uno, las materias estrictamente comerciales; dos, la adopción y armonización de la normas en las áreas siguientes: inversión, reglamentación antimonopólica, un compromiso social, la ecología y la propiedad intelectual; tres, inversiones compensatorias; cuatro, mecanismos para el arreglo de controversias; y cinco, movilidad laboral.

Comercio

Los criterios guía para que se dé el libre comercio deben ser que la reciprocidad no es aplicable todavía, salvo en circunstancias muy espe-

cíficas y excepcionales; que el acceso norteamericano y canadiense a los mercados mexicanos en aquellas áreas aún protegidas debe ser gradual, selectivo y amortiguado con los adecuados recursos adicionales; y en cuestiones estrictamente comerciales, que este pacto debe ser más que nada un acuerdo que quite o reduzca las barreras no arancelarias de Estados Unidos.

Debido a las disparidades existentes entre las dos economías y al hecho de que México, correcta o equivocadamente, ha hecho ya tanto en términos de conceder acceso a sus mercados, debiera tener más tiempo que Estados Unidos para eliminar subsidios, remover las restricciones que aún quedan y poder proteger no sólo industrias nacientes, sino ramas completas de la industria y los servicios mientras determina cuáles partes de su actividad económica pueden ser competitivas en la economía mundial, y desarrolla nichos para ellas. México es particularmente vulnerable en el área de servicios, donde una competencia total con firmas norteamericanas —en la banca, ingeniería, seguros y otros campos— podría destruir partes vitales de sus servicios.

Es a menudo el ingenio, la iniciativa o aun razones arbitrarias, así como las oportunidades creadas por el comercio internacional, lo que determina los nichos en un país dado. México tiene algunas áreas donde ya es competitivo: vidrio, cemento, cerveza, partes automotrices. Hay otras que están determinadas naturalmente. La más significativa es la del petróleo, desde la energía hasta la industria petroquímica. En el campo de los servicios, México tiene un amplio horizonte por delante. El Tratado debiera incluir provisiones que permitieran a México seleccionar aquellas industrias y determinar cómo y cuando desarrollarlas.

De igual modo, debieran establecese provisiones mediante las cuales las políticas sociales de México —subsidios, educación, vivienda, salud— no debieran considerarse como prácticas comerciales desleales durante un periodo importante.

Como estrategia general de desarrollo, el objetivo de México debiera ser cambiar todo el esquema de las maquiladoras, como un primer y muy importante paso. Reglas de origen debieran diseñarse con este propósito. Después de más de veinticinco años de operación, las ligas de las maquiladoras con el aparato productivo mexicano siguen siendo virtualmente inexistentes. Las maquiladoras han creado cerca de medio millón de empleos en veinticinco años y han generado algún apoyo a la balanza de pagos. Sin embargo, muchas de ellas provocan fuertes daños ecológicos y en ninguna parte es tan grave como en ellas, la

distancia existente entre el crecimiento de la productividad y el de los salarios, ni tan largo el periodo en el que los salarios reales han permanecido tan bajos, comparados con los de cualquier otro sector. Esto prueba que bajo este tipo de arreglo, no puede esperarse que los salarios y las condiciones de vida en México se eleven significativamente.

La agricultura de subsistencia, que produce la mayor parte de los granos básicos de México, debe retirarse de la mesa de las negociaciones. Millones de campesinos se verían echados de sus tierras si sus formas de producción ineficientes, atrasadas y no competitivas se ven de repente expuestas al volátil mercado mundial de los bienes de consumo. La modernización de la agricultura mexicana no se va a lograr siguiendo una trayectoria que cualquier país industrializado existoso rechazaría para sí. México no puede ir en agricultura más aprisa que el GATT, y debiera probablemente proceder aún con más lentitud dada la migración y los efectos sociales que sin duda tendría la deserción en masa de las tierras sin riego, de muy baja productividad. Necesitamos una política agrícola radicalmente nueva, que vaya mucho más allá de la liberalización comercial.

Normas

Inversión

Los movimientos de capital, particularmente las inversiones extranjeras directas, son una componente central de la nueva sociedad continental que queremos construir. La cultura mexicana, contraria a la inversión extranjera, está muy arraigada y en mucho se justifica por nuestras amargas experiencias históricas. Debemos aprender a ver a la inversión extranjera no como un mal inevitable, sino como una oportunidad deseable y aun como un instrumento necesario para atraer recursos, para cerrar brechas tecnológicas y para moverse decisivamente hacia los mercados mundiales. La sociedad que queremos no se creará si no redefinimos las reglas que gobiernan las inversiones extranjeras en México. El sistema actual es ambiguo y casuístico. El papel de la inversión extranjera en nuestra economía debiera ser claro y sus límites inequívocos. Esa amplia redefinición debiera surgir de un debate nacional franco, verdaderamente abierto y plural.

Aquellas secciones de las leyes y reglamentos que limitan la inversión extranjera en México que creemos deben mantenerse, tienen que ver con el acceso a los recursos naturales y a los sectores estratégicos de la economía, principalmente el petróleo. El monopolio estatal existente en la exploración, extracción, refinación y transformación industrial del petróleo mexicano debe permanecer intacto y excluirse de cualquier negociación. Esto incluye obviamente, desde nuestro punto de vista, cualquier compromiso para garantizar el suministro de petróleo a Estados Unidos, en contraste con lo que Canadá aceptó en el TLC con Estados Unidos. Respecto al petróleo, la posición negociadora de México debiera ser inflexible; cualquier desviación de esta norma es inaceptable y podría conducir a hondas divisiones políticas. La industria petrolera es a México lo que las industrias militar y aeroespacial son a Estados Unidos, esto es, cuestión de seguridad nacional.

El compromiso social

Las disparidades existentes entre las tres economías implican que un objetivo central, sustantivo de las negociaciones, debiera ser la estandarización gradual, pero decisiva, de las normas relativas al comercio. La primera y principal entre ellas debe ser un compromiso social, que asegure que los trabajadores en los tres países gocen de las mismas condiciones reales —no en el papel— de trabajo, derechos de negociación colectiva, marco legal y condiciones de seguridad ocupacional e higiene, de modo que se evite la explotación de los mexicanos y la actual competencia desleal con sus contrapartes estadounidenses y canadienses. Los salarios no pueden decretarse uniformes, pero las condiciones en las que se establecen y el marco de trabajo en el que se dan las relaciones entre patrones y trabajadores, pueden armonizarse.

El medio ambiente

La armonización de normas también debiera instrumentarse en relación con la ecología. El acuerdo debiera fijar límites a las partes respecto a su acceso a los recursos naturales. México no puede transformarse en el depósito de desechos químicos y el basurero de las industrias

norteamericanas o canadienses que tratan de dar la vuelta al cumplimiento de las restricciones ambientales en sus países. La laxitud en el cumplimiento de las leyes en la materia en México, debe cesar como una ventaja comparativa para las compañías que invierten en nuestro país. Una de las contribuciones principales de un pacto continental a la cooperación internacional sería el acuerdo entre las partes respecto a que las responsabilidades y los costos de proteger el medio ambiente se consideren como costos e inversiones del desarrollo.

También es necesario armonizar las normas de protección al consumidor; es inaceptable que productos, sustancias o procedimientos que se consideren peligrosos, inadecuados o tóxicos en las naciones industrializadas, se consideren apropiados para las subdesarrolladas.

La armonización de normas ecológicas no significa la adopción inmediata de exactamente las mismas normas por los tres países, sino más bien la más rápida evolución posible de ellas en la misma dirección.

Consideración especial debe darse al capítulo de la propiedad intelectual, un asunto que Estados Unidos ha demandado desde el principio se incluya en las negociaciones con México. Dado el hecho de que la legislación internacional existente en la materia es de muchas maneras negativa para la necesidades de desarrollo de México en áreas sociales fundamentales, debiera hacerse un esfuerzo para adoptar un conjunto de normas que crearan un sistema más equitativo de transferencia de tecnología y derechos intelectuales.

Financiamiento compensatorio

En un proceso de integración económica como el que está en curso, la economía con más desventajas inevitablemente es la que tiene que hacer los mayores y más costosos ajustes. También sufre más dislocaciones en el corto plazo. Los efectos derivados tienden a ser de naturaleza global, inmediata, mientras en las economías más ricas tienden a ser limitados y puede manejárseles en el largo plazo. Las disparidades entre las tres economías significan que por encima de los fondos indu-

cidos por el mercado, que podrían llegar como consecuencia del TLC, México requerirá recursos importantes para financiar, primero, el proceso de ajuste, incluyendo las inversiones necesarias en infraestructura y educación, de manera que se desarrolle la capacidad para absorber nuevas inversiones adicionales; segundo, la armonización de normas; y tercero, las provisiones del compromiso social.

Sabemos que financiar no es fácil, pero hacer de la disparidad fundamental entre las tres economías la primera piedra del acuerdo, significa hacer del financiamiento compensatorio su pieza central.

Arreglo de las controversias

Con respecto a las controversias directamente relacionadas con el comercio, el mecanismo que se establezca, en adición o en sustitución al mecanismo del GATT, debe incluir provisiones mediante las cuales los tres países puedan recurrir a ese mecanismo en términos de igualdad. La verificación internacional y la obligatoriedad de cumplimiento de los procesos acordados de armonización de normas, son también necesarios. La forma de lograrlo es simplemente la de extender la autoridad del mecanismo tripartita para el arreglo de las controversias comerciales. El instrumento básico para exigir el cumplimiento debiera ser la exclusión de los beneficios del tratado. Concurrentemente deben adoptarse provisiones que permitan mecanismos de verificación social de cumplimiento, como acceso en condiciones de igualdad a los mecanismos de arreglo de controversias para todas las partes interesadas: productores, agricultores, sindicatos, asociaciones ecológicas, grupos de consumidores, agrupaciones de defensa de derechos humanos, etc. Junto con estas entidades trilaterales, el recurso a organizaciones internacionales como la ONU, la OEA, OIT para cuestiones laborales o UNEP para controversias específicas de carácter ambiental, pueden servir como canales para encontrar soluciones justas a estos problemas.

Movilidad laboral

Una verdadera negociación entre México y Estados Unidos no puede concebirse si evita la controvertida cuestión de la movilidad de traba-

jadores a través de la frontera. Los trabajadores constituyen el intercambio económico, social y humano más significativo entre nuestros dos países y, por lo tanto, razón suficiente para colocar a la migración al pincipio de nuestra agenda.

Quienes proponen un tratado de libre comercio estrecho, abogan con fuerza porque se retire este tema de la búsqueda de cualquier acuerdo comercial, argumentando que impide iniciar todo trato y que contaminará el proceso de negociación en grado tal, que al final de cuentas se haría imposible el tratado. De hecho, el tema de la movilidad laboral ha quedado ya explícitamente excluido de las negociaciones en curso entre los gobiernos de México y Estados Unidos y quien insiste en su inclusión es visto como un enemigo del libre comercio.

Entendemos las dificultades y reconocemos que existen profundas sensibilidades sociales y aun resistencia racista respecto a la inmigración mexicana y latinoamericana.

De manera ideal, los mexicanos no debieran verse forzados a dejar su país para encontrar empleos en Estados Unidos. La creación de oportunidades económicas para todos es sin duda nuestra mayor aspiración. Un TLC es visto por muchos, en ambos lados de la frontera, como una medida económica audaz, necesaria para detener los flujos migratorios en su origen al crear empleos para los mexicanos en México. Además, algunos creen que un TLC sin condiciones sociales agregadas a él, creará el mejor de los mundos para la industria norteamericana: acceso directo a una fuente permanente de mano de obra barata, al otro lado de la frontera. Sin embargo, el solo libre comercio puede muy bien dar impulso al proceso migratorio en vez de acabar con él.

Según todas las cuentas, en los últimos años, desde que empezó la liberalización económica de México, la migración a Estados Unidos ha aumentado sustancialmente. Las tendencias demográficas y la escasez de mano de obra en Estados Unidos ofrecen amplias oportunidades de trabajo a los migrantes. Toda la evidencia empírica recogida por investigadores norteamericanos y mexicanos muestra que el factor que por si solo influye más en las decisiones de los mexicanos para emigrar es el salario, esto es, un salario más alto. Hoy el perfil típico del nuevo migrante económico que llega de México no es el del desempleado iletrado, sino el del trabajador semicapacitado que se mueve de un

empleo con pago muy bajo en México a uno con un pago muy superior en Estados Unidos. Por sí mismo, un simple acuerdo de comercio libre difícilmente podría cambiar esta situación.

Es comprensible que muchos norteamericanos no quieran una frontera abierta con México. Es igualmente comprensible que los mexicanos quieran acabar con los controles y limitaciones humillantes y a menudo represivos en el cruce de la frontera. La razón obligada para negociar sobre esta materia es encontrar un campo común, intermedio, entre fronteras abiertas y la inmigración ilegal, benéfico para ambas partes. Acceso legal y amplio para los trabajadores mexicanos al mercado de trabajo norteamericano, que proteja los derechos de los mexicanos en Estados Unidos en términos reales y socialmente aceptables tanto desde un punto de vista estadounidense como desde uno mexicano, seguramente es posible.

Un tratado continental de desarrollo y comercio tomará su tiempo para construirse; nuestros dos países tienen ese tiempo, aun si la actual administración mexicana no lo tiene. Un buen acuerdo, que tome más tiempo para alcanzarse, es mejor que un mal acuerdo logrado bajo la coacción y las presiones del tiempo. El avance en las cuestiones que interesan a un país, debiera estar ligado al avance en las cuestiones que son del interés del otro.

Un tratado de libre comercio carente de previsión, estrecho, sólo dará prosperidad a unos cuantos y hará perder la esperanza a los más. Una liberalización comercial concebida y conducida en el marco de una alternativa real de desarrollo movilizará el entusiasmo y el compromiso de numerosos grupos sociales en México que hoy se ven excluidos de todo beneficio. Estamos obligados a tener éxito en esta oportunidad de lograr un progreso auténtico y una cooperación fructífera entre nuestras naciones.

Nueva York, 8 de febrero de 1991.

La democracia al alcance de la mano (fragmentos)

... Por eso hemos propuesto un pacto diferente, la utilización de múltiples herramientas económicas para superar los rezagos y asimetrías existentes, una visión distinta en las relaciones internacionales, particularmente las de Estados Unidos y México, y como condición indispensable, la democratización de la vida política del país.

Como alternativa al TLC que negocian los gobiernos de México, Estados Unidos y Canadá, que es punto de arranque de la instrumentación de la Iniciativa de las Américas del Presidente Bush — propuesta insuficiente para desarrollar América Latina y con claras pretensiones de consolidar la hegemonía hemisférica de Estados Unidos —, planteamos la celebración de un acuerdo continental de comercio y desarrollo, que discutan y negocien el conjunto de naciones del continente, que parta de reconocer las diferencias existentes en grados de desarrollo, productividades de las economías, condiciones sociales, y que se fije como un primer propósito disminuir hasta cerrar esas diferencias y sentar las bases de una competencia y complementación económicas con bases de equidad.

Las negociaciones, considerando, por ejemplo, lo que debiera resolverse entre Estados Unidos y México, tendrían que realizarse en torno a las cuestiones estrictamente comerciales; a la armonización de normas en materia de inversiones, reglamentación antimonopólica, un compromiso social, la ecología y la propiedad intelectual; los mecanismos para resolver las controversias, de modo que no se invadan y limiten jurisdicciones nacionales para ventaja de alguna de la partes; la movilidad laboral; e inversiones compensatorias, esto es, inversiones como las que convinieron los países de la Comunidad Europea con Portugal, España, Grecia e Irlanda cuando se decidió la incorporación de estos países a la Comunidad.

Al reconocer las diferencias y proponerse eliminarlas a partir de esfuerzos conjuntos, las inversiones compensatorias se constituyen en pieza clave del pacto y en su eje articulador.

Alcanzar condiciones de desarrollo suficiente, equilibrado, autosostenido y relaciones de equidad interna e internacionalmente —en especial en nuestro hemisferio—, exige echar mano de múltiples instrumentos económicos y no de manera casi única, como se plantea en la Iniciativa Bush, con la sola creación de una zona de libre intercambio, de la liberalización comercial, como demagógicamente han venido sosteniendo los negociadores del TLC. Es necesario recurrir, con visión de largo plazo, simultáneamente, a varios instrumentos: la propia apertura comercial y la gradualidad en su realización; inversiones compensatorias, como ya se señaló; una nueva negociación de la deuda externa que conduzca de modo efectivo a liberar recursos para inversión; la adopción de medidas que estimulen la inversión productiva y frenen y desalienten la especulación financiera; la determinación y reconocimiento en cada país de los nichos económicos, las actividades estratégicas y prioritarias conductoras del desarrollo económico general, entre otras.

En la última década, en México, ha quedado claramente demostrado que la liberalización comercial no trae como consecuencia obligada la apertura política. En estos años se ha caminado precisamente en el sentido contrario. El régimen de partido de Estado, uno de los pocos que subsisten aún en el continente y en el mundo, se ha rigidizado, ha debido recurrir de modo regular y sistemático al fraude electoral y cada vez más a la represión y a la violación impune de los derechos humanos...

...Conveniencias inmediatas y actitudes acomodaticias han hecho que la causa de la democracia mexicana, salvo aisladas excepciones, se encuentre casi sin adeptos en los sectores oficiales del continente.

Si en México se mantiene inamovible el sistema político, si no se da su apertura, que pasa necesariamente por el respeto al voto en una elección libre y no manipulada, si con base en ese sistema político se profundizan las políticas económicas de subordinación, concentración del ingreso, socialmente excluyentes, va a impedirse el desarrollo de mercados nacionales fuertes, con consumidores que tengan verdadera capacidad para comprar; se acentuarán las distorsiones de la economía; seguirá habiendo sectores modernizados orientados a exportar, junto a ramas en desastre (como la agricultura) o en vías de extinción (como la industria de consumo); se seguirá requiriendo de apoyo económico externo como ha sido práctica usual desde 1982 y sobre todo de 1988 en adelante, principalmente a cargo de los contribuyentes de Estados Unidos, que han significado y significarán aliento político al gobierno mexicano; y se incrementará la corriente migratoria de mexicanos hacia ese país...

Escuela de Derecho de la Universidad Loyola,
Los Ángeles, California, E.U.A.
28 de febrero de 1992.

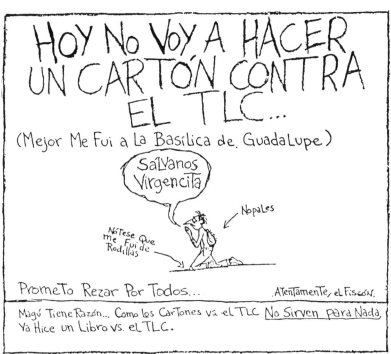

Esta obra se terminó de imprimir
en mayo de 1993 en
Impresora Publimex, S.A.
Calz. San Lorenzo 279-32
México 13, D.F.

La edición consta de 5,000 ejemplares